LA RHÉTORIQUE MODE D'EMPLOI

connaître

LA RHÉTORIQUE MODE D'EMPLOI

Procédés et effets de sens

par
Nicole Fortin

L'instant même

Couverture : Anne-Marie Jacques

Photocomposition : CompoMagny enr.

Distribution pour le Québec : Diffusion Dimedia
539, boulevard Lebeau
Montréal (Québec) H4N 1S2

Distribution pour la France : Distribution du Nouveau Monde

© Les éditions de L'instant même 2007

L'instant même
865, avenue Moncton
Québec (Québec) G1S 2Y4
info@instantmeme.com
www.instantmeme.com

Dépôt légal – Bibliothèque et Archives nationales du Québec, 2007

Catalogage avant publication de Bibliothèque et Archives Canada

Fortin, Nicole, 1962-

    La rhétorique, mode d'emploi : procédés et effets de sens

    (Connaître ; 5)
    Comprend des réf. bibliogr.

    ISBN 978-2-89502-004-2

    1. Rhétorique. 2. Types de discours. 3. Analyse du discours.
4. Figures de rhétorique. I. Titre. II. Collection.

P301.F67 2007   808   C2006-941204-9

L'instant même remercie le Conseil des Arts du Canada, le gouvernement
du Canada (Programme d'aide au développement de l'industrie de
l'édition), le gouvernement du Québec (Programme de crédit d'impôt
pour l'édition de livres – Gestion SODEC) et la Société de développement
des entreprises culturelles du Québec.

à Mélanie Harvey,
amie et complice de rhétorique

PETITE HISTOIRE
D'UN GRAND POUVOIR

On raconte qu'au Ve siècle avant Jésus-Christ, Hiéron, le tyran de Syracuse, avait interdit à ses sujets l'usage de la parole en public : un peuple qui se tait, se disait-il, est plus malléable… Bravant les interdits, Corax, philosophe de son état, entreprit la rédaction d'un manuel établissant les règles d'un discours efficace. À la chute du despote, le peuple y trouva une arme pour faire valoir ses droits et pour récupérer les terres usurpées par la tyrannie.

Dans cette histoire, quelle est la part de légende et quelle est la part de vérité ? Disons plutôt que toute légende possède un fond de vérité et que celle-ci illustre bien le fait que le langage peut devenir un instrument redoutable pour agir et pour influer sur le cours des événements. Dans la Grèce antique, les cités de Sparte et d'Athènes s'affrontèrent à ce propos. Voulant garder la mainmise sur les citoyens, les autorités de Sparte développèrent une société militaire : on n'y apprenait à lire que pour des raisons pratiques et les arts ne célébrant pas les vertus guerrières y étaient jugés inutiles. Posant les bases de la démocratie, les Athéniens estimaient plutôt qu'une société juste devait s'appuyer sur la liberté d'expression de ses citoyens. L'exercice du pouvoir revenait à ceux-ci, convoqués sur la place publique (l'agora) pour débattre des valeurs et des enjeux de la Cité. Les arts, tels l'épopée et le théâtre, devinrent les modes d'expression par excellence de la culture, c'est-à-dire des valeurs fondant l'identité des citoyens. Les règles assujettissant ces discours furent réunies par le philosophe Aristote dans deux livres, intitulés *Rhétorique* et *Poétique,* auxquels se référeront les États et les cultures des siècles suivants.

Nous n'appartenons plus à ce monde des « Anciens ». Nous nous enorgueillissons aujourd'hui de notre modernité, de nos libertés, de nos technologies, de nos moyens de communication aussi rapides que la lumière : aujourd'hui, nous *pouvons* et nous *savons* nous exprimer. Tout au moins le croyons-nous. L'explosion des nouveaux médias ne doit pas faire oublier que ce ne sont pas les technologies qui communiquent, mais les individus à travers elles. Ce retour sur les siècles passés rappelle que, pour savoir s'exprimer, il ne suffit pas d'apprendre les mots d'une langue, ni de connaître la grammaire d'une phrase bien faite, ni d'utiliser correctement un microphone ou une souris : il faut savoir user de toutes les ressources de la langue et du discours dans un but d'efficacité.

Dès ses premiers balbutiements, l'enfant découvre qu'il arrivera plus rapidement à ses fins par telle formulation de phrase plutôt que par telle autre, qu'il aura parfois avantage à s'adresser différemment à son père et à sa mère. En fait, il n'apprend pas tant à parler qu'à *communiquer,* c'est-à-dire à voir dans la langue un instrument permettant d'entrer en contact avec le monde, en s'exprimant et en décodant les messages qui lui parviennent. Derrière les mots se profile pour lui un outil d'expression autant que de *séduction* et de *persuasion.* À ce jeu, la communication lui apparaît aussi complexe que la langue, soumise elle aussi à des règles et à des conventions sociales qu'il apprend à décrypter et à utiliser. Aujourd'hui comme autrefois, il existe des façons plus efficaces que d'autres de dire ou de ne pas dire les choses…

La **rhétorique** est le nom donné aux diverses tentatives de description et de compréhension des mécanismes et conventions régissant l'efficacité des discours, des plus ordinaires aux plus littéraires. En fait, la rhétorique est aux discours ce que les grammaires sont aux langues : une compilation de règles qui guident des usages.

LA RHÉTORIQUE : SAVOIR DÉMODÉ ET ÉLITISTE ?

Pendant des siècles, la rhétorique a été un savoir obligé. Quiconque étant appelé à jouer un rôle parmi l'élite d'une société devait en maîtriser les règles. Le mot *rhétorique* a longtemps désigné une année d'enseignement destinée non pas au « petit peuple », mais à ceux qui poursuivaient leurs études en vue d'appartenir aux classes dirigeantes, soit ceux qu'on appelait les « lettrés ». Au XXe siècle, un vent de suspicion se lève sur la rhétorique, considérée dès lors comme un objet aride, poussiéreux, encombrant

11

et incompatible, pense-t-on, avec les visées de la modernité, de la scientificité, et avec l'accessibilité des études à toutes les classes de la société.

La prolifération des théories de la communication, nées de l'ère des technologies de l'information, entraîne aujourd'hui sa redécouverte. La rhétorique revient à la mode ; on trouve à nouveau en elle des réponses permettant de comprendre ce que disent les textes ainsi que les sociétés qui parlent à travers eux.

La rhétorique d'aujourd'hui n'est toutefois plus celle d'hier : on n'en fait plus une sorte de grammaire à apprendre par cœur. On reconnaît néanmoins, et peut-être plus que jamais, qu'elle donne prise à la compréhension d'un des instruments de « pouvoir » les plus importants de la vie en société, c'est-à-dire la capacité de s'exprimer, de communiquer et d'argumenter :

> Savoir argumenter n'est pas un luxe, mais une nécessité. Ne pas savoir argumenter n'est-il pas, par ailleurs, une des grandes sources récurrentes d'inégalité culturelle, qui se superpose, en les renforçant, aux traditionnelles inégalités sociales et économiques ? [...] Une société qui ne propose pas à tous ses membres d'être citoyens, c'est-à-dire d'avoir une véritable compétence à prendre la parole, est-elle vraiment démocratique[1] ?

---

1. Philippe Breton, *L'argumentation dans la communication,* Paris, Éditions La Découverte, coll. « Repères », 2003, p. 12.

De nos jours, c'est donc au nom d'un pouvoir auquel tous ont droit que la rhétorique acquiert à nouveau ses lettres de noblesse.

QUE RECOUVRE LE TERME *RHÉTORIQUE* ?

Les Grecs jugeaient qu'un discours efficace devait tenir compte de **cinq composantes** :

1. **L'*inventio* : choisir le contenu.** On ne peut produire un discours sans d'abord procéder au **choix de l'information à transmettre,** soit les arguments, les idées, les faits, les exemples, les thèmes, les personnages, etc., aptes à servir efficacement le propos.

   Les auteurs ne disposent pas toujours de l'entière liberté de parole. Selon les époques, certaines considérations idéologiques, morales, esthétiques, littéraires, etc., ont conduit à la désignation de thèmes, de personnages, d'arguments presque obligés, ou de tabous à ne pas transgresser, pour qu'un discours soit jugé réussi, voire socialement acceptable. De tout temps, et aujourd'hui encore, la rhétorique a ainsi concouru, explicitement ou non, à baliser ce qui pouvait être dit.

2. **La *dispositio* : organiser le discours.** Dans quel ordre faut-il soumettre les idées, par quel type de discours (argumentatif, narratif, théâtral, poétique, etc.) faut-il les présenter ? Cette composante consiste en l'élaboration d'un **plan,** qu'on peut entendre dans son sens militaire de

« stratégie ». En effet, l'ordonnancement du discours ne relève pas seulement d'un souci de clarté, mais de la mise en place d'une stratégie au service du propos.

Les genres discursifs sont les principaux exemples des conventions imposées par la *dispositio*. Structures rigides, ils ont longtemps constitué des canevas commandant la forme d'un texte, compte tenu des idées et des thèmes exposés. Les XIXe et XXe siècles ont progressivement tenté d'éliminer les frontières entre les genres. Nos habitudes de communication y font néanmoins toujours référence. Consciemment ou non, nous parlons et écrivons toujours en respectant certains modèles que notre culture a instaurés.

3. **L'*elocutio* : bien dire les choses.** Le choix des mots justes, des tournures de phrases appropriées, est crucial pour l'efficacité du propos. On s'assure ainsi de dire les choses avec « style », ou plus précisément selon le style qui servira le mieux le propos. Communément, on regroupe sous l'*elocutio* ce qui relève essentiellement des figures du discours, ou figures de style, et par extension de ce qu'on appelle la **stylistique.**

Par tradition, sans doute en raison de l'importance de l'étude des discours littéraires dans la culture occidentale, on a souvent restreint la rhétorique à la seule étude de la **poétique,** ou de l'*elocutio*. Aujourd'hui, depuis le développement des théories d'analyse des discours, on reconnaît que les figures sont partout : dans le discours politique, publicitaire, journalistique, etc., soit dès qu'une volonté de persuasion et de séduction se manifeste.

4. **La *memoria* : s'assurer qu'on retiendra les propos tenus.** Au cours des siècles, cette dimension rhétorique a perdu de son importance. Avant l'imprimerie, alors que les discours étaient diffusés oralement, on avait avantage à s'assurer de la mise en place, dès leur composition, de mécanismes facilitant la **mémorisation.** La disposition des discours en parties délimitées et basées sur des modèles ne répondait pas seulement à une logique argumentative ; elle avait aussi pour but de permettre à l'orateur de garder en mémoire son plan, et à l'auditoire d'en suivre le déroulement et d'en retenir les éléments essentiels. C'est à ces besoins qu'on doit notamment l'invention de la versification et de la métrique : un texte rythmé, dont les phrases sont de longueur identique et riment entre elles, est plus facile à retenir.

Aujourd'hui les reliquats de cette exigence rhétorique subsistent dans certaines pratiques. Le conférencier qui note les mots clés à ne pas oublier ou qui recourt à des formules qui marqueront l'auditoire accomplit une des tâches prescrites par la rhétorique des origines. De même, le compositeur de chansons populaires qui, par des refrains répétitifs, cherche à ce qu'on fredonne ses œuvres dès la première écoute. Et que dire des slogans du concepteur de publicité, créés dans le but d'être retenus dès leur réception et, parfois, pendant des années.

5. **L'*actio* : tenir compte du non-verbal.** Lorsqu'un texte est destiné à être présenté en public, son succès ne dépend pas que de son écriture, mais de l'aptitude d'un orateur à le diffuser : le ton de la voix, la gestuelle, les regards adressés au public, l'habillement, etc., sont autant d'éléments à prendre en considération.

Nécessaire dans une société où la communication était essentiellement orale, cette composante rhétorique a été délaissée à partir de l'invention de l'imprimerie. Elle est cependant toujours restée vivante dans ce qu'on appelait les « débats oratoires » et, bien sûr, au théâtre. En raison de l'incidence actuelle des médias et de la culture de l'image et du « paraître » qui en découle, l'*actio* regagne aujourd'hui de son importance. Ainsi voit-on de plus en plus apparaître des rhétoriques du non-verbal : cinéma, peinture, danse, musique, bande dessinée…

LA RHÉTORIQUE : MODE D'EMPLOI DU LIVRE

Comme les langues dont elle explique certains des usages, la rhétorique est fondamentalement une création des Hommes et de leurs cultures. Son histoire ne peut s'expliquer qu'à travers celle des codes, des valeurs, des modes de représentation des sociétés où elle est née. Sociétés qu'en retour elle a elle-même contribué à forger en leur léguant les instruments de leur expression. Dans chaque partie de ce livre, on trouvera donc l'explication des principaux procédés rhétoriques présentée sous le mode suivant :

- définition des principaux procédés, illustrés le plus souvent d'exemples ;
- explication des effets de ces procédés, l'usage de ceux-ci conduisant **toujours,** par définition, à un effet sur le sens d'un discours ;
- « capsules » socio-historiques (bordées d'un trait gris) permettant d'expliquer le sens particulier de certains procédés rhétoriques selon les époques, les codes littéraires, les idéologies dominantes ou en vogue, etc.

La **première partie** de cet ouvrage répartit les procédés rhétoriques en respectant les grandes catégories dans lesquelles l'Histoire classe les discours : discours dont le but est *d'informer* (discours informatif), *d'argumenter* (discours argumentatif), *de raconter* (discours narratif), *de représenter* (discours théâtral) et, enfin, *d'illustrer et d'utiliser les potentialités formelles du langage* (discours poétique).

C'est notamment autour de ces divisions que la rhétorique a défini ses plus fortes conventions : les **genres.** En pratique, une définition fermée des genres est souvent illusoire : parfois, le théâtre emprunte les vers de la poésie ; le roman s'articule autour d'une thèse argumentée ; le poème raconte une histoire… Rares sont les œuvres pures, plusieurs textes littéraires étant des hybrides où se côtoient, pour le plus grand bonheur du sens, des éléments argumentatifs, narratifs, poétiques, etc.

L'explication des principales figures de discours, ou figures de style, suivra en **deuxième partie.** Longtemps considérées comme emblématiques de la rhétorique, elles ont souvent été les principales notions rhétoriques transmises par l'école. Ces figures sont abordées séparément puisqu'elles ne sauraient être associées à des types de discours ou à des genres particuliers.

PREMIÈRE PARTIE

LES CATÉGORIES DU DISCOURS

LES DISCOURS DE L'INFORMATION ET DE L'ARGUMENTATION

Ce chapitre s'attardera aux discours chargés d'exprimer des *idées,* des *opinions,* des *faits.* À ce sujet, on est souvent tenté de penser que « les faits parlent d'eux-mêmes » et qu'il existe un langage de la vérité qui, d'une certaine manière, se passe de toute intervention humaine pour être exprimé. L'imaginaire, la création, donc l'invention du monde par le langage, seraient l'affaire de la littérature, alors que les discours critiques, journalistiques, scientifiques seraient plus respectueux de l'objectivité, de la réalité, de la vérité.

Tout cela est de l'ordre du mythe. Nous succombons tous un jour à l'*illusion* consistant à croire que certains discours peuvent reproduire fidèlement la réalité. Or, un texte est toujours la construction d'un esprit humain qui, par des mots, cherche à rendre crédible ce qu'il écrit. On appelle **argumentation** l'ensemble des stratégies rhétoriques visant à faire passer pour vrai – et donc pour objectif – ce qui relève d'un point de vue. Ce souci de vraisemblance parcourt tant les discours d'idées, axés sur l'expression subjective des opinions, que les discours informatifs dans lesquels l'objectivité ne représente souvent qu'une illusion. Que l'Histoire, discours par excellence de la description de la réalité, ait longtemps été celle des rois et non des peuples devrait nous rappeler que même l'exposé des événements peut être commandé par des visées idéologiques. La vraisemblance d'un texte argumentatif ou informatif naît moins des faits évoqués que de la cohérence du discours qui les exprime.

LES ORIGINES DU DISCOURS ARGUMENTATIF

C'est, peut-on l'imaginer, par nécessité d'informer et de persuader leurs semblables que les premiers humains ont éprouvé le besoin d'inventer le langage. Les conventions de ces discours à caractère informatif et argumentatif ont sans doute vu le jour en même temps que celles des sociétés dont elles exprimaient les relations.

Il est donc légitime que ce soit à ces genres que la rhétorique se soit d'abord intéressée. L'ouvrage d'Aristote, intitulé *Rhétorique,* était ainsi entièrement consacré aux discours visant à convaincre un auditoire de la véracité des thèses et des faits exposés. Dans cette catégorie de textes étaient regroupés les discours politiques, les plaidoiries, les éloges, les oraisons, etc. C'est dans un autre ouvrage, intitulé *Poétique,* qu'Aristote évoquera les discours dits littéraires.

L'histoire du discours argumentatif ne regroupe donc pas d'abord des écrits aux visées artistiques, mais embrasse l'ensemble des communications sociales : on y trouve des textes classés aujourd'hui en science, en philosophie, en politique, en droit, en théologie, en journalisme, etc. C'est à la suite du siècle des Lumières (XVIIIe siècle) qu'a véritablement débuté le clivage entre ce qui, encore aujourd'hui, relève de la « science » ou de la « littérature ».

Au cours de l'histoire culturelle et intellectuelle occidentale, nombre de discours argumentatifs ont été classés comme appartenant tantôt à la littérature et aux arts, tantôt à la politique, au droit, à la philosophie, à la théologie, à la science, etc. Le *Discours de la méthode* de Descartes, les *Pensées* de Pascal, l'*Encyclopédie* de Diderot et d'Alembert, les écrits philosophiques de Rousseau ou de Sartre sont des exemples probants de ces va-et-vient incessants entre divers domaines du savoir.

Cependant, dans la tradition rhétorique française, on s'accorde généralement pour dire que c'est à partir de Montaigne et de ses *Essais* (XVIe siècle) qu'un amalgame entre rhétorique des idées et rhétorique des mots a commencé à s'opérer. Naît un nouveau genre, l'**essai,** où la pensée s'articule dans un style ouvertement subjectif et littéraire. La tradition d'un discours argumentatif strictement littéraire tire ses origines de cette œuvre.

L'ÉNONCIATION ARGUMENTATIVE (*INVENTIO*)

Un discours a plus de chances d'être jugé crédible si la crédibilité de celui qui le prononce est assurée.

Cette capacité de bien cibler l'image qu'on donne de soi dans son discours apparaît, dès Aristote, comme l'une des conditions essentielles à la réussite d'un discours. C'est sous le nom d'***ethos*** qu'Aristote désignait la nécessité, pour l'auteur, de bien mettre en scène ses qualités morales et éthiques à travers la création d'un **énonciateur.** C'est par ce nom qu'on désigne l'instance discursive responsable de la prise de parole.

Mais cela ne suffit pas : le discours fonctionnera bien si on a également su cibler celui à qui on s'adresse. L'auditoire doit se sentir visé par les propos qu'il écoute. C'est sous le nom de ***pathos*** qu'Aristote désignait la nécessité de bien cerner les moyens propres à retenir l'attention de celui à qui on parle, grâce à la création d'un **énonciataire.**

L'énonciation argumentative :
- joue un rôle dans le pouvoir de persuasion du texte ;
- établit un rapport de communication et d'interactions entre celui qui énonce (l'énonciateur) et celui qui reçoit (l'énonciataire), afin de faciliter l'efficacité de la transmission des propos tenus.

Formes d'énonciation argumentative

Subjectivité (inscription de celui qui énonce) : on appellera « subjectif » le discours dans lequel la présence d'un énonciateur est explicitement repérable.

Recours à l'expressivité : l'inscription de l'énonciateur se fait par des marqueurs linguistiques désignant sa présence.

- **Pronoms personnels :** présence du « je » ou du « nous » (ou autres formes pronominales de même type, telles que « me », « notre », etc.).

- **Vocabulaire axiologique :** présence de termes indiquant l'implication et les jugements de valeur (adjectifs, adverbes évaluatifs).

- **Ponctuation affective :** présence des exclamations (!), des interrogations (?), des hésitations (…), etc., indiquant l'implication de celui qui énonce.

Recours à l'identité : l'inscription de l'énonciateur se fait par sa désignation comme porteparole compétent. Ce dernier se construit une identité, une personnalité qu'il soumet à son auditoire afin d'être jugé apte à tenir le point de vue qu'il adopte. Cette identité peut être conforme à la réalité, tout comme elle peut être stratégiquement construite, comme le serait un personnage dans la fiction.

- **Identité psychologique :** elle se reconnaît dans les marques de désignation du caractère. Par exemple, « c'est avec *émotion* (ou *indignation*, ou *plaisir*, etc.) que je veux exprimer… ».

- **Identité idéologique :** elle se reconnaît dans les marques de désignation idéologique (valeurs). Par exemple, « en homme *honnête* (ou *responsable*, ou *épris de liberté et de justice*, ou *religieux*, etc.), je peux dire que… ».

- **Identité sociale :** elle se reconnaît dans les marques de désignation sociale. Par exemple, « en tant que *professeur* (ou *Québécois,* ou *femme,* ou *chômeur,* etc.), je peux affirmer que… ».

- **Identité intellectuelle :** elle se reconnaît dans le recours à sa propre autorité. L'énonciateur fait directement référence à sa culture, à son niveau d'instruction, à sa notoriété intellectuelle, etc. Par exemple, « *mes nombreuses années de métier* (ou *mon expérience du terrain*) me permettent d'affirmer… ».

- **Identité linguistique :** elle se reconnaît dans le recours à un niveau de langue spécifique (syntaxe, vocabulaire, expressions). Par exemple, l'énonciateur adopte, artificiellement ou non, le parler « ouvrier », le parler « ado », le parler « littéraire », etc.

Objectivité (effacement relatif de celui qui énonce) : on jugera souvent plus « objectif » le discours dont l'énonciateur semble absent.

Recours à la scientificité (objectivation) : l'énonciateur s'appuie sur des arguments, des faits, des opinions qu'il présente comme si les « faits parlaient d'eux-mêmes ». Cette distanciation de l'énonciateur se reconnaît notamment dans le recours systématique aux démonstrations logiques, aux exemples concrets, aux données d'analyse, aux représentations graphiques, aux statistiques, etc., c'est-à-dire à ce qui peut être objectivement vérifiable en dehors de toute prise de position.

Recours à l'autorité : l'énonciateur s'appuie sur des arguments de personnalités (auteurs, penseurs, etc.) qui recueillent l'adhésion de l'auditoire. Cette tactique se reconnaît dans le recours à la citation directe, littérale ou non, des idées d'autrui.

Recours à l'opinion commune (*doxa*) : l'énonciateur s'appuie sur des vérités, des évidences reconnues comme telles par l'opinion commune, c'est-à-dire les idées partagées par un groupe social à une époque donnée. Il peut s'agir de formulations clichés, de lieux communs, d'idées reçues, de stéréotypes, de proverbes, de maximes, de figures dites du bon sens.

Perversion de l'opinion commune : la **démagogie** est la forme exacerbée des excès de ce type d'argumentation. Par opportunisme, l'énonciateur manipule son auditoire en orientant ses propos en fonction de ce que celui-ci veut entendre. Dans ce type de discours, l'opinion commune ne sert plus d'appui aux arguments, mais devient le fondement de l'argumentation elle-même : il n'est plus nécessaire de démontrer la validité des thèses qu'on avance, puisqu'elles sont cautionnées d'office par la masse. À la limite, tout adversaire de cette argumentation pervertie se verra accusé de rejeter non pas la thèse défendue par un individu, mais l'ensemble des valeurs de l'opinion populaire, sa liberté de penser, voire l'exercice de la démocratie elle-même.

Ajoutons que la perversion de l'opinion commune trouve également un terreau fertile dans ce qu'on appelle la **langue de bois** qui, notamment en politique, consiste à s'exprimer au moyen de formules figées, à la mode, stéréotypées, pseudo-savantes, sans prise directe sur la réalité et, par conséquent, le plus souvent vides de sens. On joue alors strictement sur les apparences.

Énonciataire (inscription de celui à qui on s'adresse) : de la même manière qu'il y a toujours un énonciateur, il y a toujours les traces de celui à qui on s'adresse, l'énonciataire. Les choix que l'énonciateur fait pour se définir lui-même sont souvent justifiés par ce qu'il croit que le public attend de lui : en se définissant, il définit aussi sa vision de l'autre. Par certaines marques explicites, il inscrit néanmoins l'énonciataire dans le discours.

Recours à l'expressivité : l'inscription de l'énonciataire se fait par des marqueurs linguistiques désignant sa présence, notamment le « tu », le « vous », les formes interrogatives et impératives, les apostrophes, etc.

Recours à l'identité : l'inscription de l'énonciataire se fait par sa désignation comme un vis-à-vis compétent. L'énonciateur lui construit une identité, une personnalité afin qu'il se reconnaisse et se sente concerné par le discours. Comme lorsqu'il crée sa propre identité, l'énonciateur peut jouer sur l'identité psychologique, morale, sociale, intellectuelle ou linguistique de son auditoire. Par exemple, « Chers *êtres de cœur* (psychologique), chers *Montréalais* (sociale), chers *pacifistes* (idéologique), vous serez d'accord pour... » (voir les notions d'identité de l'énonciateur, p. 25).

Recours à la vulgarisation : la vulgarisation désigne l'adaptation des arguments aux besoins de l'énonciataire. Vulgariser, c'est ajuster les arguments qu'on présente au degré de compréhension de l'auditoire : concepts théoriques, données contextuelles, repères historiques, etc. Toute tentative de vulgarisation présuppose donc une connaissance de celui à qui on s'adresse. Bien vulgariser, ce n'est pas s'empêcher de dire ce qui ne serait pas compris, c'est réussir à traduire en des termes simples ce qui est naturellement complexe, tout en évitant de se rabaisser ou de rabaisser son interlocuteur. C'est pourquoi les bons discours de vulgarisation sont souvent, d'un point de vue rhétorique, plus difficiles à construire que les discours savants.

Rapports entre l'énonciateur et l'énonciataire : énonciateur et énonciataire ne sont pas deux constructions autonomes. Parce que la réussite d'un discours repose sur l'efficacité du rapport de communication, le type d'interaction entre les intervenants devient central.

Rapport de supériorité : l'énonciateur cherche l'adhésion de l'énonciataire en se plaçant à l'avant-scène dans une position de commande. Par exemple, « je sais mieux que vous qui vous êtes et ce dont vous avez besoin / je peux vous apprendre ceci ou cela », etc.

Rapport d'égalité, de solidarité, de complicité : l'énonciateur cherche l'adhésion de l'énonciataire en se plaçant dans un rapport d'égalité avec lui. Par exemple, « je suis comme vous / je vous comprends / je suis le porte-parole de vos idées / nous partageons une vision commune des choses », etc.

Rapport d'infériorité : l'énonciateur cherche l'adhésion de l'énonciataire en se plaçant lui-même dans une position d'effacement, de servilité ou de dépendance. Par exemple, « j'ai à apprendre de vous / je suis à votre écoute / vous êtes important », etc.

LA TONALITÉ (*INVENTIO*)

La tonalité, ou registre, désigne la « coloration » ou la **perspective affective** dans laquelle un énoncé est exprimé.

Il ne s'agit pas d'un phénomène exclusif aux discours argumentatifs, loin s'en faut. La tonalité joue toujours un rôle dans l'interprétation à donner à un texte et, par conséquent, est déterminante sur le plan de la persuasion.

L'adoption d'une tonalité particulière :
- oriente la signification et l'interprétation à donner au contenu, que la tonalité adoptée soit en adéquation ou en contraste avec les propos tenus ;
- participe à l'établissement d'un rapport, émotif ou non, entre énonciateur et énonciataire et, par conséquent, joue un rôle dans le pouvoir de persuasion et d'adhésion auquel on veut soumettre l'auditoire.

Principales formes de tonalité

Réaliste (ou neutre) : tonalité dite objective, qui cherche à rendre compte du contenu sans en dévier.

Émotive (ou lyrique) : tonalité affective, exprimant ce qu'on énonce avec sentiment, avec émotion, voire avec passion et exaltation. Elle est souvent le lieu d'expression de la personnalité de l'énonciateur (voir *ethos,* p. 24).

Dramatique (ou pathétique) : tonalité affective exprimant la gravité, le sérieux, le tragique de ce qu'on énonce. Elle a souvent pour but de susciter l'émotion de l'énonciataire (voir *pathos,* p. 24).

Humoristique (ou comique) : tonalité affective exprimant la réalité de manière amusante et décalée, dans le but d'en illustrer ou d'en dénoncer les travers ainsi que de provoquer le sourire ou le rire de l'énonciataire.

Ironique : tonalité affective, qui peut sembler au premier abord réaliste, émotive, dramatique ou humoristique, mais qui exprime en fait le contraire de ce qu'on veut faire comprendre au lecteur. Elle implique souvent l'établissement d'une complicité entre l'énonciateur et l'énonciataire puisqu'elle doit être décodée à partir du non-dit (voir « Ironie », p. 142).

L'ARGUMENTATION (*DISPOSITIO*)

Dans tout discours, l'ordre selon lequel apparaissent les arguments (idées, opinions, points de vue…)

est rarement dû au hasard : il respecte le plus souvent une logique de démonstration méthodique, manifeste dans la structure des phrases comme dans la structure globale d'un texte. C'est d'ailleurs cet ordre de présentation souvent très rationnel qui concourt à rendre les discours vraisemblables, parce que nous les jugeons conformes à la logique, à la pensée scientifique, à ce qui conduit à l'évidence et à la vérité.

Ce n'est donc pas sans raison si, de tout temps, ce qui relève de la rhétorique et ce qui relève de la **logique** ont souvent été confondus. Pour Aristote, apprendre à bien dire et apprendre à bien penser relevaient de la même action, ce qui plaçait l'exercice de la rhétorique au carrefour de la logique, de la philosophie, de la théologie, du droit, etc.

L'ordre selon lequel est présenté un discours :

- permet d'amplifier l'impression de rationalité et de vraisemblance des arguments (même là où rien n'est rationnel ni vérifiable dans les faits) ;
- permet de créer une progression dans l'exposé des arguments et, par conséquent, de favoriser la possible adhésion de l'auditeur aux thèses qu'on expose ;
- renforce l'effet de certains arguments par la place stratégique qu'on leur confère dans le discours.

Principales formes d'argumentation

Argumentation par analogie : on présente les arguments en établissant entre eux des liens relevant de leurs ressemblances ou de leurs dissemblances.

Structure par comparaison : les idées sont ordonnées de façon à mettre en relief leurs ressemblances. Cette structure se reconnaît notamment dans l'usage des connecteurs logiques du type « dans le même ordre d'idées », « pareillement », « de manière similaire », « de même que », etc.

Structure par opposition : les idées sont ordonnées de façon à mettre en relief leurs dissemblances. Cette structure se reconnaît notamment dans l'usage des connecteurs logiques du type « à l'opposé », « au contraire », « inversement », « mais », « en revanche », « pourtant », etc.

Argumentation par causalité : on présente les arguments en établissant entre eux des liens de cause à effet, ou inversement.

Structure de cause à effet : les idées sont ordonnées de façon à mettre en relief le fait que la première est la cause de la seconde. Cette structure se reconnaît notamment dans l'usage des connecteurs logiques du type « car », « c'est pourquoi », « donc », « il en résulte que », « par conséquent », etc.

Structure d'effet à cause : les idées sont ordonnées de façon à mettre en relief le fait que la première est la conséquence de la seconde. Cette structure se reconnaît notamment dans l'usage des connecteurs logiques du type « parce que », « ceci s'explique par… », etc.

Argumentation par déduction ou par induction : on présente les arguments en établissant des liens entre des cas particuliers et les règles qui les gouvernent.

Structure par déduction (du particulier au général) : les idées sont ordonnées de façon à exposer d'abord des faits particuliers (cas, exemple, observation, etc.) pour ensuite en faire découler une règle générale (un principe, une loi, une « vérité »).

Structure par induction (du général au particulier) : les idées sont ordonnées de façon à exposer d'abord une règle générale (un principe, une loi, une « vérité ») pour ensuite en faire découler des faits particuliers (cas, exemple, observation, etc.).

Les dérives de l'induction : certains raisonnements, malgré leur apparente logique, conduisent à des conclusions fausses. Prenons le raisonnement inductif suivant : « les chiens ont quatre pattes / mon chat a quatre pattes / donc mon chat est un chien. » Rien ne permet logiquement de déduire que le fait pour un animal d'avoir quatre pattes implique toujours qu'il s'agit d'un chien.

On appelle **sophismes** ces types de raisonnements pervertis. Plus courants qu'on ne le croit, ils peuvent être redoutables, car leur illogisme n'est pas toujours détectable de prime abord : « le voleur était noir / mon voisin est noir / donc mon voisin est un voleur ». Pareilles dérives argumentatives sont particulièrement présentes dans la **démagogie** (voir p. 27), où la rigueur de la démonstration est souvent délaissée au profit de la force d'arguments clichés pris isolément et destinés à établir la vérité de l'ensemble.

Argumentation par thèse, antithèse et synthèse : on présente les arguments en deux étapes.

- On suit d'abord une **argumentation par opposition,** où l'on expose, en premier lieu, une idée (thèse), puis son opposé (antithèse).
- On confronte ensuite les éléments respectifs de la thèse et de l'antithèse afin de dégager, dans la synthèse, les éléments les plus probants et les plus efficaces pour illustrer ce qu'on veut démontrer.

Une civilisation de la dialectique : ce mode de raisonnement repose sur ce que la philosophie occidentale appelle la **dialectique.** Chez Platon déjà, l'art de chercher, par le discours, des solutions aux grandes interrogations humaines s'appuyait sur une structure argumentative dialogique où étaient confrontées questions et réponses dans le but d'en dégager la vérité. Au XIXe siècle, selon Hegel et Marx, on ne pouvait comprendre le monde (synthèse) qu'en en saisissant d'abord les contradictions (thèse et antithèse). Aujourd'hui encore, l'argumentation par thèse, antithèse et synthèse est toujours jugée comme un des outils primordiaux de la pensée et du savoir. Les nombreux étudiants qui auront à expérimenter un jour ce type d'argumentation devront se souvenir qu'on leur demande alors de répéter un exercice figurant au cœur des processus intellectuels de l'Occident.

Tableau 1. Les principaux discours argumentatifs

	Discours informatif : discours exposant des faits, des événements réels et vérifiables (rapport, résumé, analyse, etc.).
	Discours historique : discours, le plus souvent chronologique, exposant des faits, des événements réels et vérifiables liés à l'existence d'un groupe, d'une communauté, d'une société (manuel d'histoire, chronique historique, etc.).
Discours à dominante informative	*Discours biographique :* discours, le plus souvent chronologique, exposant des faits, des événements réels et vérifiables liés à l'existence d'un individu (biographie).
	Discours autobiographique : discours biographique où la vie racontée est celle de l'auteur (autobiographie, journal intime, etc.).
	Discours scientifique : discours exposant des faits, des événements réels et vérifiables liés à un domaine d'études régi par des règles (rapport de recherche, manuel de science, etc.).

Discours à dominante argumentative	Discours d'opinion sous-tendu par un but de persuasion (éditorial, chronique, critique, etc.). *Essai littéraire :* discours subjectif, de type littéraire, où l'énonciateur expose sa réflexion et son argumentation.
Discours à dominante polémique	Discours d'opinion, qui vise à faire naître la controverse et la réaction de l'auditoire (manifeste, pamphlet, etc.).

LES DISCOURS DE LA FICTION

Se regroupent sous le qualificatif « narratif » les textes ayant pour but la mise en discours d'événements, d'actions vécues par des personnages. Plus simplement, est narratif tout texte ou partie de texte dont l'objet est de raconter une histoire, fictive ou réelle. Une des leçons que nous donne cependant la rhétorique est qu'aucun discours ne sait reproduire fidèlement le réel. Le propre des discours narratifs n'est pas de décrire des mondes réels, peuplés d'individus réels, mais de créer des mondes, réalistes ou non, qui, par leur logique interne, paraissent vraisemblables au lecteur. Rien n'est plus agréable que de considérer les personnages d'un roman comme de vraies personnes dont on voudrait partager les aventures. Notre rapport avec les histoires racontées ressemble souvent à celui qu'on établirait avec les vraies situations de la vie. Dès que, à la lecture d'un texte, nous succombons à ce jeu, nous nous laissons aller à ce qu'on appelle l'**illusion référentielle.**

L'art de la narration est l'art de la ***mimesis*** (une notion expliquée par Aristote), soit la capacité de rendre crédible, pour le lecteur, l'imitation de la réalité qu'on lui soumet, quelle que soit la part d'imaginaire présente dans l'histoire racontée. Même le discours narratif aux apparences les plus réalistes, tel celui du manuel d'histoire relatant les conquêtes et les règnes, repose sur une sélection et sur une reconstitution d'événements assujettis au point de vue de celui qui raconte. Il faut donc toujours distinguer ce qui relève de l'**histoire** (les faits, les événements, etc.) de ce qui relève du **récit** qu'on en fait (le discours produit).

LES ORIGINES DU DISCOURS NARRATIF

Il ne faut pas d'abord envisager l'acte de narration comme un genre, reconnaissable sous les vocables de « roman » ou de « nouvelle » : c'est l'histoire moderne qui lui a donné ces noms. L'origine des textes narratifs remonte aussi loin que celle des grands récits théologiques et mythologiques, tels la *Genèse* (monde judéo-chrétien), l'*Odyssée* (monde grec), le *Cycle du Graal* (monde celtique), etc., dont l'objectif n'était pas de « raconter une histoire pour le plaisir de raconter », mais de transposer, sous forme narrative, les préceptes religieux et moraux propres aux sociétés. Le roman, aujourd'hui dominant dans la culture, a longtemps été un genre mineur, assujetti notamment au discours philosophique et éthique : pensons au *Gulliver* de Swift ou au *Candide* de Voltaire qui, en réalité, ne sont que la mise en récit d'une thèse initiale. Comme dans les contes, les légendes et les fables, raconter devient pour les auteurs un *instrument d'illustration* d'idées à défendre.

En fait, ce n'est qu'au XIXe siècle que le discours narratif acquerra véritablement son autonomie, cessant progressivement d'être au service de visées argumentatives. Ce glissement s'explique de deux manières. Premièrement, au XIXe siècle, époque d'émergence des sciences sociales et de l'Histoire comme disciplines scientifiques, apparaît la nécessité de décrire la réalité en soi, d'où la naissance des premiers grands récits historiques (Hugo, Dumas), réalistes (Balzac) et naturalistes (Zola, Maupassant). Représenter et imiter le réel devient une fin en soi – bien qu'on doive reconnaître que ces premiers romans ont souvent été au service d'une thèse sociale à défendre. Deuxièmement, parce qu'ils étaient publiés dans les journaux populaires sous forme de feuilleton, plusieurs de ces textes ont propulsé le roman – et l'art de raconter des histoires – au premier rang des habitudes de lecture d'un public toujours de plus en plus large. Le XIXe siècle a vécu sur cette lancée, amenant plusieurs lecteurs à juger les textes narratifs axés sur l'imaginaire comme étant les œuvres centrales de la littérature. Grâce à l'émergence d'une littérature de plus en plus populaire (récits de cape et d'épée, récits policiers, récits fantastiques), lire devient un amusement. Au XXe siècle, l'apparition du cinéma, autre art de la mise en récit, n'est sans doute pas étrangère à cet engouement qui a donné naissance au « raconter pour raconter ».

Cette suprématie du discours narratif sera plus d'une fois attaquée : un exemple parmi d'autres de cette contestation se manifeste notamment par le **nouveau roman** (1960), où sont remises en question les notions de personnage, d'action, de représentation, etc. Au XXe siècle, certaines œuvres de la modernité, puis de la postmodernité, veilleront tour à tour à remettre en cause les règles de la *mimesis*.

L'ÉNONCIATION NARRATIVE (*INVENTIO*)

Comme dans le discours argumentatif, l'acte d'énonciation est assumé par une instance construite dans le discours : dans un texte narratif, on appelle **narrateur** cette instance dont la fonction est de raconter une histoire. L'appartenance de ce type de textes à l'univers de la fiction a pour conséquence que cette narration sera le plus souvent assumée par un ou plusieurs personnages fictifs chargés de la mise en récit. En aucun cas, il ne faut confondre ce narrateur avec l'auteur.

Il importe également, pour bien comprendre la notion de narrateur, de l'associer à la notion de focalisateur, dont on retrouvera l'explication à la page 45.

La mise en place d'une instance d'énonciation :
- oriente le sens de l'histoire racontée selon la ou les instances narratives choisies ;
- donne une tonalité plus ou moins intimiste selon la ou les instances narratives choisies ;
- permet de soutenir l'illusion référentielle, la narration étant souvent assumée par un ou des personnages appartenant à un univers inventé.

Formes d'énonciation narrative

Narrateur-héros (autodiégétique) : narrateur présent comme **personnage principal** dans l'histoire.

EFFET : utilisant le « je » dans son récit, ce narrateur raconte sa propre histoire. Par définition, c'est le type de narration le plus intimiste. L'histoire étant ainsi racontée par celui qui l'a vécue, on peut penser qu'elle est livrée par la personne la mieux placée pour rendre compte des événements. C'est à la fois vrai et faux : ce narrateur n'est pas nécessairement le mieux placé pour décrire objectivement, avec recul, ce qui arrive. La description des événements ou des personnages est alors soumise à la perception qu'il en a : par exemple, si un narrateur, aveuglé par l'amour, dépeint la femme aimée comme un être aimable et généreux, la description qu'en font les autres personnages sera peut-être fort différente.

Narrateur-témoin (homodiégétique) : narrateur racontant une histoire dont il est le témoin. Il est un **personnage dans l'histoire, mais pas le personnage principal.**

EFFET : bien qu'il utilise le « je » dans son récit, ce narrateur raconte des aventures qui sont moins les siennes que celles d'un ou de plusieurs autres personnages. On peut s'attendre à plus d'objectivité, mais aussi à ce que certaines informations soient limitées : même le plus doué des narrateurs-témoins ne saurait tout connaître des personnages et des événements dont il raconte l'histoire. Par exemple, ce n'est pas sans raison qu'Arthur Conan Doyle a choisi le docteur Watson comme narrateur des aventures de Sherlock Holmes, ni qu'Agatha Christie a choisi le capitaine Hastings pour celles d'Hercule Poirot : même s'ils sont des témoins privilégiés de ce que font les grands détectives, ces narrateurs n'ont pas accès à leurs pensées ni à leurs déductions secrètes. Ils livrent donc aux lecteurs un savoir incomplet. Le mystère de l'enquête est ainsi maintenu jusqu'à la fin du texte, moment où, prenant la parole à leur tour (donc devenant narrateurs-héros), les détectives révèlent le raisonnement qui les a conduits à la solution.

Narrateur externe ou omniscient (hétérodié- gétique) : le narrateur raconte une histoire dont il est **absent en tant que personnage.**

EFFET : souvent, aucun indice ne permet de repérer sa présence, comme si personne ne racontait cette histoire. Ainsi que l'indique le terme de « narrateur omniscient », ce narrateur possède une connaissance des personnages et des événements virtuellement illimitée. Il peut cependant choisir de ne pas tout raconter : dans ce cas, il est intéressant de voir ce qu'il choisit de dire ou de passer sous silence (voir « Focalisation », p. 45). Par exemple, dans un roman policier, ce narrateur connaît souvent l'assassin et décrit même certaines de ses actions, mais choisit évidemment d'occulter certaines informations afin que ne soit pas devinée l'identité du coupable avant la fin.

Polyphonie narrative (*dispositio*) : un texte narratif **permet la présence de plus d'un narrateur.** Plusieurs récits assumés par des narrateurs distincts peuvent être disposés dans un même discours, tel un jeu de relais où différentes voix prendraient successivement la parole. À la manière des poupées russes, des récits peuvent également s'enchâsser les uns dans les autres, le narrateur d'un récit déléguant sa fonction de narration à l'un des personnages de l'histoire qu'il relate, ce dernier devenant à son tour, momentanément ou non, narrateur du récit.

EFFET : cette polyphonie permet la multiplication des sources d'information et des points de vue sur les événements racontés. On pourrait penser que pareille structure permet de déléguer la responsabilité de la narration aux narrateurs qui, compte tenu de l'histoire, semblent les mieux placés pour l'assumer. Ce n'est pas toujours le cas. Il faut souvent voir en quoi ces narrations distinctes peuvent être complémentaires, opposées, voire contradictoires, quant aux points de vue qu'elles adoptent envers l'histoire.

LA FOCALISATION OU LE « POINT DE VUE » (*INVENTIO*)

Il faut établir une distinction entre celui qui raconte une histoire, soit le narrateur, et **celui dont on adopte le point de vue afin de raconter l'histoire,** soit le **focalisateur.** Une histoire peut être racontée par un narrateur en optant pour un angle précis d'accès à l'information, à l'exemple

45

de la caméra dont on oriente et ajuste l'angle de l'objectif.

L'adoption d'un type de focalisation permet de contrôler la quantité, la précision, l'origine et le type de l'information livrée.

Formes de focalisation

Focalisateur : la focalisation peut être assumée ou non par le narrateur.

Focalisation non médiatisée : le narrateur assume la focalisation. Le narrateur donne accès à l'histoire en suivant son propre point de vue et livre l'information telle qu'il est en mesure de la percevoir (actions, contextes décrits, personnages, émotions, pensées, etc.).

EFFET : en théorie, c'est le type de focalisation qui donne accès au plus large spectre d'informations possible. C'est vrai dans le cas des narrateurs externes, aptes à adopter une vision d'ensemble de l'histoire : c'est d'ailleurs pour cette raison qu'on les dit « omniscients ». C'est faux dans le cas des narrateurs-personnages (héros ou témoin) : ces personnages, à l'instar des humains dont ils empruntent les traits, ne sauraient avoir accès aux pensées ou aux émotions des autres personnages. La vision de ces narrateurs est logiquement limitée à leurs propres perceptions, à moins que le récit n'enfreigne volontairement les règles de la vraisemblance pour miser sur l'ambiguïté – comme c'est le cas, notamment, de certains textes fantastiques.

Focalisation médiatisée : un personnage assume la focalisation. Le narrateur donne accès à l'histoire en suivant le point de vue d'un personnage (ou successivement de plusieurs) et livre l'information selon ce que celui-ci est en mesure de percevoir (actions, contextes décrits, personnages, émotions, pensées, etc.).

EFFET : ici, et pour les mêmes raisons de vraisemblance que dans le cas de la focalisation sans médiatisation, seul le narrateur externe est totalement apte à faire voir l'histoire à travers le regard des personnages. Par exemple, dans la série *Harry Potter,* le narrateur donne essentiellement accès à l'histoire à travers les perceptions du héros : destinée initialement à des enfants, cette histoire est vue à travers les yeux d'un enfant, dont la compréhension des choses évolue au fil des livres, au fur et à mesure qu'il grandit.

Objet focalisé (modalisation) : le focalisateur, qu'il soit narrateur ou non, peut adopter à l'égard d'un même objet focalisé (actions, contextes décrits, personnages, émotions, pensées, etc.) un type d'accès à l'information différent, selon le **degré** et le **mode** de perception choisis.

Degré de perception : mesure de la **précision** et de la **quantité** de l'information transmise.

EFFET : l'information peut être livrée avec plus ou moins de précision ou de certitude. Des phrases telles que « j'entendais *vaguement* le tonnerre gronder », « j'entendais *nettement* le tonnerre gronder » ou « le tonnerre *gronde-t-il ?*

me questionnai-je » témoignent d'un même objet focalisé à des degrés différents, ce qui a un effet sur la précision ou la certitude des faits évoqués. Dans le texte, on peut généralement trouver des indices du degré de perception choisi.

Mode de perception : mesure de l'origine et du **type** d'information transmise.

EFFET : l'information peut être livrée par divers modes de perception, que ce soit les sens (vue, ouïe, toucher…), la pensée (intellect, imagination, rêve…), etc. Des phrases telles que « j'*entendais* la pluie tomber », « je *voyais* la pluie tomber », « je *sentais sur ma peau* la pluie tomber », « je *rêvais* que la pluie tombait » témoignent d'un même objet focalisé selon des modes de perception différents, ce qui a un effet sur le sens des faits évoqués. Dans un texte, on peut généralement trouver des indices du mode de perception.

LA DISPOSITION NARRATIVE (*DISPOSITIO*)

L'information transmise par les discours narratifs peut faire l'objet de plusieurs formes de disposition selon qu'on vise à rendre compte du contexte, des conversations, des pensées, des actions, des commentaires qui entourent l'histoire.

Le choix d'une disposition narrative :
- permet la présentation de l'information en fonction de son contenu (paroles, idées, actions, etc.) ;

• produit un effet sur le rythme de la narration, selon la longueur des passages axés tantôt sur la description, tantôt sur l'action, tantôt sur le discours rapporté.

Formes de disposition narrative

Description : passage servant à **décrire l'environnement** dans lequel se déroule l'histoire.

Description de contexte : description des lieux, des décors, des objets, de l'époque.

EFFET : donne des informations pour comprendre le contexte dans lequel se déroule l'histoire. Il importe souvent de voir s'il y a des liens possibles (thématiques, symboliques, etc.) entre ce contexte et l'action, et si ces descriptions ne subissent pas des modifications tout au long du récit, ce qui serait le signe d'une évolution dans l'action.

Description de personnages : description, ou portrait, des caractéristiques physiques ou psychologiques des personnages.

EFFET : donne des informations pour comprendre les comportements et les motivations des personnages. Il importe souvent de voir ce sur quoi le narrateur insiste et ce sur quoi il ne s'attarde pas : ainsi, la description exclusivement physique d'un personnage peut signifier que sa pensée, sa personnalité sont secondaires, voire superflues, pour la compréhension du récit. On peut également voir si ces descriptions ne subissent pas des modifications tout au long du récit, ce qui serait le signe d'une évolution des personnages.

Discours rapporté : transcription des **paroles** énoncées par les personnages.

En style direct (dialogue) : transcription des **paroles exactes** énoncées par les personnages.

EFFET : donne un **effet de réel et de véracité,** reproduisant mot pour mot les paroles échangées entre les personnages. Ces paroles peuvent également donner des informations sur les interactions des personnages en dialogue. On reconnaît ordinairement ce style direct aux guillemets et aux tirets indiquant la présence d'un locuteur autre que le narrateur.

En style indirect : cas où les paroles ne sont pas retranscrites telles quelles, mais rapportées plus ou moins indirectement par le narrateur.

EFFET : moins objectif que le style direct, le style indirect implique souvent une prise de distance, une reformulation, une interprétation, donc une **médiation** du narrateur à l'égard des propos qu'il rapporte.

Monologue intérieur : transcription des **pensées** exactes d'un personnage se parlant à lui-même.

EFFET : donne **accès à l'intériorité** d'un personnage, à ses pensées secrètes, à ses motivations, à ses désirs, à ses valeurs. Cette transcription peut donner des informations sur la manière dont le personnage perçoit les événements ou se perçoit lui-même.

Commentaire : passage lors duquel on semble soudainement sortir de l'histoire pour émettre des **commentaires, de type argumentatif,** sur l'action, sur les personnages, etc.

EFFET : donne **accès à la pensée, aux valeurs, à l'idéologie** du narrateur. Ainsi, dans l'exemple suivant, prend place un discours argumentatif, de type déductif, à travers lequel un jugement misogyne est posé sur les femmes en général : « Jeanne rencontra Gilles en 1935 lors d'un souper chez sa tante ; elle en tomba aussitôt amoureuse. *Les femmes de toutes les époques sont ainsi : il suffit d'un homme pour que ces folles créatures se jettent sottement dans l'amour.* » Il importe cependant de faire attention aux cas où les commentaires sont ironiques (voir « Ironie », p. 142) : ici, le texte le serait si le narrateur voulait en fait dénoncer la misogynie. Le reste du texte permettrait de le savoir.

LA STRUCTURE TEMPORELLE (*DISPOSITIO*)

On appelle **temporalité** ce qui a trait à la disposition des événements dans le temps : l'histoire est-elle racontée chronologiquement ?, s'éternise-t-on sur un événement alors qu'ailleurs la cadence s'accélère ?, l'histoire s'est-elle déroulée dans un lointain passé ou est-elle liée au présent du narrateur ?, y a-t-il lieu de distinguer deux époques, soit celle des événements racontés et celle de la narration ?

L'aménagement temporel du récit :
- permet de mettre (ou non) l'accent sur certains événements de l'histoire ;

- permet la mise en parallèle ou en opposition d'événements logiquement distants dans le temps ;
- crée des effets de rupture dans le texte ;
- étire ou condense le texte, donc intervient sur le rythme de celui-ci.

Formes de la structure temporelle

Temps de la narration : il importe parfois de mesurer l'**intervalle temporel** qui sépare les événements racontés du moment de la narration. Il est rare qu'un narrateur raconte des événements au moment même où ils se déroulent ; le plus souvent, les événements appartiennent au passé (récent ou ancien). La narration peut donc être **ultérieure** (c'est le cas le plus fréquent), **antérieure** ou **simultanée** par rapport aux événements racontés.

EFFET : plus l'écart temporel est grand entre les événements et le moment de leur récit, plus le narrateur risque de se distancer de ce qu'il raconte. Il peut avoir oublié certains événements, sa vision des choses peut avoir évolué, ou le recul peut lui permettre de considérer les choses avec une plus grande objectivité. Le lecteur peut également être amené à établir des parallèles (de causalité, d'analogie, d'opposition, etc.) entre les deux époques, soit celle des événements et celle de leur mise en récit.

Ordre : toute vie suit une logique naturelle. Ainsi, la naissance précède la mort ; 1950 précède

1980 ; le crime précède le procès. Mais rien n'oblige à raconter les événements selon cet ordre. Lorsqu'ils sont mis en récit, les événements subissent une **transposition temporelle plus ou moins conforme à la chronologie réelle.** Si le récit dispose les événements dans un ordre autre que celui de la chronologie réelle, certains événements présentés se déroulant en fait avant ou après les autres, on parlera d'**anachronies.**

- **Analepse (ou retour en arrière) :** présente quand, à un moment donné du récit, on raconte un événement qui s'est déroulé plus tôt dans l'histoire.

- **Prolepse (ou projection dans le futur) :** présente quand, à un moment donné du récit, on raconte un événement qui se déroulera plus tard dans l'histoire.

EFFET : permet d'insister sur certains événements en particulier et, plus fondamentalement, d'établir des parallèles (de causalité, d'analogie, d'opposition, etc.) entre des événements distants dans le temps.

Durée : une coïncidence parfaite entre la durée du récit et la durée de l'histoire signifie que le temps de lecture d'un texte est similaire à celui des événements racontés. Or, dans les faits, on sait qu'on peut décrire cinq ans de la vie d'un personnage en cinq lignes ou quinze minutes de sa vie en quinze pages. **La durée des événements est très fréquemment réorganisée dans le récit.**

La scène : parité entre la durée du récit et la durée des événements de l'histoire. La scène, qui exclut toute digression ou commentaire, est présente : 1) dans la description pas à pas des événements, des faits et des gestes ; 2) dans les dialogues ; 3) dans les monologues intérieurs.

EFFET : c'est la **durée la plus réaliste** et somme toute la plus neutre, car elle suit pas à pas le déroulement de l'histoire.

La pause : durée du récit plus longue que la durée des événements de l'histoire. La pause est présente : 1) dans les descriptions détaillées et dans les commentaires ; 2) chaque fois qu'on « s'étend » sur un événement.

EFFET : si un narrateur s'attarde longuement sur des événements, c'est peut-être le signe qu'ils exigent des précisions ou qu'ils revêtent une importance particulière dans l'histoire. La vitesse de l'histoire s'en trouve ralentie.

Le sommaire : durée du récit plus courte que la durée des événements de l'histoire. Le sommaire est présent : 1) dans les résumés ; 2) chaque fois qu'on condense le récit d'un événement.

EFFET : si un narrateur évite de parler longuement de certains événements, c'est peut-être le signe que quelques éléments centraux suffisent à les décrire ou qu'ils ont une importance secondaire dans l'histoire. La vitesse de l'histoire s'en trouve accélérée.

L'ellipse : durée du récit inexistante par rapport à la durée des événements de l'histoire. L'ellipse est présente chaque fois que, dans l'histoire, un événement *important* est occulté.

EFFET : si un narrateur évite complètement de parler de certains événements *importants,* c'est peut-être le signe qu'ils ont un sens particulier. Tout non-dit peut être l'indice de tabous, d'un rejet de la réalité, d'une incapacité à dire les choses ou d'un simple désintérêt de la part du narrateur. Par exemple, un narrateur raconte sa vie, mais passe sous silence ses dix années de mariage.

Tableau 2. Les principaux discours narratifs

Roman	Discours narratif où se met en place tout un réseau de significations : ▪ rapports entre actions principales et actions secondaires ; ▪ rapports entre personnages principaux et secondaires ; ▪ transformation des enjeux et des thèmes entre début et fin du texte.
Nouvelle	Discours narratif, plus bref que le roman, centré autour : ▪ d'un personnage ; ▪ d'un thème ; ▪ d'une anecdote ou d'une action ; ▪ d'un fil directeur. La nouvelle s'inscrit le plus souvent dans un recueil, regroupement de textes réunis autour de thèmes, de personnages, d'anecdotes communes, etc., qui tissent tout un réseau de significations.

Conte (légende)	Discours narratif, généralement bref, qui respecte les caractéristiques suivantes : • présence d'un héros, habituellement stéréotypé et soumis à un schéma canonique d'épreuves à caractère souvent initiatique ; • histoire située dans un temps et dans un lieu généralement indéterminés (il était une fois, dans un pays lointain) ; • appartenance à un univers fictionnel avoué, notamment merveilleux. La légende repose également sur le merveilleux, mais vise à travers celui-ci à expliquer des phénomènes réels (historiques, climatiques, géologiques, etc.).
Fable (récit à thèse)	Discours, généralement bref, en partie argumentatif, qui vise à illustrer une morale, un précepte. Souvent sous forme d'allégorie (voir p. 138), la fable construit une argumentation par déduction (voir p. 34), partant d'un fait, d'une anecdote racontée de laquelle découle une règle générale, une morale énoncée en conclusion. Cette dépendance du narratif à des visées argumentatives se retrouvera aussi dans les récits à thèse dans lesquelles l'histoire racontée sert d'illustration à la démonstration d'une thèse sociale ou morale.

LES DISCOURS
DE LA REPRÉSENTATION

Le discours théâtral partage avec le discours narratif l'objectif de représenter des actions, des événements et des émotions, vécus par des personnages en des lieux et en des espaces donnés. Théâtre et narration procèdent l'un et l'autre par imitation (*mimesis*), donnant naissance à des mondes vraisemblables, calqués sur le fonctionnement des mondes réels. Cependant, alors que la création narrative peut se définir dans le cadre restreint d'un texte, la création dramatique donne lieu à des « débordements ». Le texte théâtral n'est pas un discours « fini », mais demande à être complété par sa représentation sur scène. On peut tirer au moins deux conséquences de cette distinction :

- La communication théâtrale convoque nombre de langages autres que l'écrit : la gestuelle, la tonalité de la voix, les décors, la musique, etc. Plus que tout autre, le théâtre est un art de l'*actio* qui implique, pour que sa signification soit complète, l'apport du comédien et de la scène. Pour cette raison, il est de rigueur de parler de deux rhétoriques : une **rhétorique du texte,** liée aux règles de l'écriture théâtrale, et une **rhétorique de la représentation,** axée sur les règles de la transposition scénique.

- Ce glissement du texte vers la scène entraîne également la mise en place d'un rapport de communication particulier entre l'œuvre et le spectateur. Le théâtre est l'art du dialogue : le dialogue *représenté,* à travers les relations conflictuelles et dialogiques qu'illustrent les personnages mis en scène, et le dialogue *réalisé,* grâce au contact direct, sans médiation de l'écrit, entre ce qui se passe sur scène et dans la salle.

Le théâtre permet donc un rapport de communication direct avec un public. Parce que l'œuvre jouée ne se présente pas sous la forme d'un texte écrit, mais par l'intermédiaire d'interprètes qui l'animent, il permet, plus que tout autre art, le maintien de l'illusion référentielle. L'effet de ce rapport direct du spectateur avec des actions jouées mais perçues comme réalistes est connu, depuis Aristote, sous le nom de ***catharsis.*** On considère que le théâtre conduit à une « purification » du spectateur : en reproduisant directement sur scène les tensions, relations et émotions inhérentes à la vie, le théâtre permet au spectateur de s'identifier à ce qui est représenté et, par conséquent, de se décharger de ses propres tensions, relations et émotions. Le théâtre est alors vu comme un exutoire, comme l'occasion d'un échange concret entre la scène et la salle.

LES ORIGINES DU DISCOURS THÉÂTRAL

C'est dans le discours religieux et sacré que, dès la Grèce ancienne, se trouvent les origines du théâtre. Placé sous l'égide de Dionysos, dieu du vin et des visions mystiques, le théâtre antique se voulait une manifestation rituelle, permettant la catharsis collective du peuple autour de grands récits historiques et mythologiques évoquant les fondements de son identité. Mélangeant processions, chants, danses et théâtre, des festivals réunissaient, deux fois l'an et pendant plusieurs jours, jusqu'à 20 000 personnes dans des amphithéâtres en plein air. Ainsi, dès cette époque sont placées les bases de ce que seront la **tragédie** et la **comédie.**

Au Moyen Âge, la chrétienté fermera ces théâtres païens, mais continuera néanmoins à voir dans la représentation théâtrale une façon de réunir le peuple autour d'évocations favorisant la foi et appelées **miracles** et **mystères.** D'abord joué dans les églises (en latin), puis sur les parvis (en langue vulgaire), le spectacle théâtral se déplacera ensuite sur les places publiques où l'on verra de plus en plus se développer un théâtre non religieux, composé de **farces** jouées par des troupes itinérantes. C'est cette nouvelle tradition théâtrale qui donnera lieu, dans l'Italie du XVIᵉ siècle puis dans toute l'Europe, à la **commedia dell'arte,** théâtre d'improvisation mettant en scène des personnages stéréotypés repris de pièce en pièce. Au XVIIᵉ siècle, Molière s'approprie certains de ces archétypes et pose ainsi les bases de la **comédie** moderne, développée par la suite par les Goldoni, Beaumarchais, etc.

La tradition de la **tragédie,** quant à elle, ne reviendra en force, dans des formes nouvelles, qu'à partir de Shakespeare en Angleterre au XVIe siècle (théâtre élisabéthain) ou de Racine et de Corneille en France au XVIIe siècle (théâtre classique). Les thématiques cessent alors d'être religieuses, mais s'appuient néanmoins toujours sur le pouvoir cathartique du théâtre et illustrent les grandes passions humaines. Si le théâtre élisabéthain met en scène des histoires et des personnages contemporains, la tradition française, de son côté, continuera de reprendre certaines des grandes figures mythologiques gréco-romaines (Phèdre, Andromaque, Brutus, etc.).

Le Romantisme, au XIXe siècle, remettra en cause plusieurs des règles du théâtre classique. Il devient ainsi le précurseur du théâtre moderne, marqué au XXe siècle par la démocratisation, visible dans les thèmes abordés et dans le public visé. Les codes sont à nouveau redéfinis : mise à l'avant-plan du rôle créateur du metteur en scène et des comédiens, théâtre « engagé » cultivant la participation du spectateur (Brecht), remise en cause de la définition de la catharsis (distanciation), mélange des genres (multimédia). Cependant, loin de rejeter systématiquement le passé, la modernité procédera également à l'adaptation et à l'amalgame de toutes les traditions théâtrales anciennes.

Le théâtre est donc un genre en constante évolution. En musique et en danse, il a donné vie à des genres tels l'opéra ou le ballet, formes artistiques qui lui empruntent encore aujourd'hui certains de ses codes rhétoriques. Axé dès les origines sur un échange cathartique entre la scène et le public, le théâtre s'est adapté aux réalités changeantes de la société, de même qu'il a su tirer parti des innovations technologiques apparues au fil des siècles (éclairage, sonorisation, médias, etc.).

LA RHÉTORIQUE DU TEXTE

L'énonciation théâtrale (*inventio*)

Un des aspects où le théâtre semble se distinguer des textes narratifs est l'**énonciation.** Là où les romans et les nouvelles se définissent comme des histoires « racontées », le théâtre semble se présenter comme une histoire « montrée », sans l'intermédiaire d'une quelconque instance narrative. Plus que tout autre discours, le théâtre procède en réalité à une fragmentation de l'acte d'énonciation, **déléguant successivement l'acte de parole aux personnages mis en scène.**

Le théâtre ne présente donc pas *une* énonciation mais *plusieurs* énonciations imbriquées. Par le biais des dialogues, les personnages deviennent tour à tour énonciateurs, construisant leur discours en réponse à celui de l'autre ou provoquant le discours de l'autre. Dans cette mise en scène de la communication, le spectateur n'est plus celui à qui on s'adresse, mais le témoin des échanges entre des personnages représentés par les acteurs. Au théâtre, **l'énonciation devient donc un spectacle, miroir de conflits.**

Plus précisément, au théâtre, chaque prise de parole d'un personnage s'opère par l'intermédiaire de **répliques** dirigées vers les autres personnages, vers lui-même ou vers la salle.

L'importance des répliques des personnages se mesure au type de relations qu'elles permettent d'illustrer plutôt qu'à leur nombre ou à leur longueur. Ces échanges verbaux favorisent l'actualisation des différents types de relations conflictuelles ou non (relations de confrontation, de domination, de connivence, etc.) vécues entre les personnages en scène, entre les personnages et la salle, ou à l'intérieur même d'un personnage.

Formes d'énonciation théâtrale

Dialogue (énonciation d'un personnage dirigée vers un autre personnage) : se dit dans le cas où les **répliques s'inscrivent dans une structure de communication** entre deux ou plusieurs personnages, chacun répondant ou provoquant la réplique de l'autre.

EFFET : le théâtre se définissant comme représentation scénique de relations conflictuelles entre des personnages, le dialogue est sans doute le mode par excellence d'**évocation de la confrontation,** des échanges, des relations, des conflits, des tensions, etc. Le dialogue peut également être un lieu de **mise en place d'une hiérarchie ou de rapports de force** entre les personnages.

Tirade (énonciation d'un personnage dirigée vers un autre personnage) : se dit dans le cas où, dans un dialogue, il y a **monopolisation de la parole par un personnage** au moyen d'une longue réplique.

EFFET : déplace l'attention sur un seul personnage, qui devient alors (momentanément) le **pivot de l'action,** du dialogue et des interrelations représentées sur scène. On peut parfois y voir une modification des rapports hiérarchiques entre les personnages, l'un d'eux prenant ainsi le dessus sur les autres. Dans certains cas, la présence des tirades peut illustrer **le refus ou l'incapacité d'un personnage à communiquer** avec les autres.

Monologue (énonciation d'un personnage dirigée vers lui-même) : se dit dans le cas où **un personnage se parle à lui-même** sans être entendu par les autres personnages, et ce, qu'il soit seul sur scène ou non.

EFFET : donne accès à l'intériorité du personnage, à ses pensées secrètes, à ses **conflits intérieurs,** à sa conception de ce qui se passe sur scène. Le monologue prend souvent la forme d'un **commentaire** explicatif ou évaluatif des actions et des pensées ; il apparaît aussi parfois sous la forme d'un **contre-discours,** amenant des idées contradictoires par rapport à celles que le même personnage peut exprimer quand il parle ou agit face aux autres. Dans certains cas, le monologue peut illustrer **le refus ou l'incapacité d'un personnage à communiquer** avec les autres.

Aparté (énonciation d'un personnage dirigée vers le public) : se dit dans le cas où **un personnage**

s'adresse directement aux spectateurs sans être entendu par les autres personnes, qu'il soit seul sur scène ou non.

EFFET : permet la mise en place d'une **communication (provocation ou complicité) avec le public,** en accord ou en désaccord avec ce qui se passe sur scène. Permet aussi une **distanciation** du personnage par rapport à ce qui se déroule sur la scène. En fait, l'aparté est rendue possible par la situation de double communication propre au théâtre, les personnages communiquant à la fois entre eux et avec la salle, et ce, hors de toute logique (par exemple, le personnage du XVIIᵉ siècle parlant à des spectateurs du XXIᵉ siècle).

Chœur (énonciation collective) : se dit des cas où **une réplique est simultanément dite par plusieurs personnages,** ceux-ci agissant alors comme un seul et même énonciateur.

EFFET : mode d'expression d'un groupe, il prend souvent la forme d'un **commentaire** explicatif ou évaluatif des actions. Il peut également rendre compte d'une **hiérarchie** entre les personnages, des personnages uniques se voyant dès lors confrontés à la parole d'une collectivité.

Le chœur du théâtre grec antique : d'origine religieuse et issu du théâtre antique où il pouvait prendre la forme de chants et de danses, le chœur a été, dès ses origines, le **lieu d'expression de la collectivité** (la Cité, le peuple, les femmes, les humains face aux dieux, etc.). L'invention du chœur s'explique par le rôle du théâtre dans la société grecque, soit celui de lieu d'expression de la démocratie. On voyait souvent en lui une « caisse de résonance » de la pensée collective, ou encore un **médiateur cathartique entre la scène et le public.**

De nos jours encore, on trouve des résurgences du chœur antique, notamment dans des pièces engagées visant l'expression de la réalité sociale et de la collectivité (Ionesco, Brecht, Tremblay, etc.).

« **Commentateur** » (**énonciation externe**) : se dit des cas où la parole n'est pas assumée par un personnage, mais **par une instance extérieure à l'histoire** se déroulant sur scène. Il s'agit souvent d'une voix « off » qui agit tel un narrateur externe (voir p. 44).

EFFET : permet la mise en place d'une communication directe avec le public et distante de ce qui se déroule sur scène. Elle crée souvent l'illusion d'appartenir davantage à la réalité des spectateurs qu'à celle de la scène. Elle est d'ailleurs souvent porteuse d'un **commentaire explicatif ou évaluatif** de ce qui se passe sur scène.

La mise en abyme (*inventio*)

Nombreuses sont les pièces où l'on note la présence d'une pièce jouée dans la pièce, de personnages jouant eux-mêmes des personnages, d'une scène montée sur la scène, d'un **théâtre dans le théâtre.** À l'instar de l'auditoire, le personnage du théâtre devient souvent le spectateur, voire l'acteur, d'un théâtre fictif qui se joue sur scène. On n'a qu'à penser à *Hamlet,* de William Shakespeare, où des comédiens viennent jouer devant le roi un drame similaire à celui qui est représenté sur scène, ou encore à *Six personnages en quête d'auteur* de Luigi Pirandello, où des comédiens rencontrent leur personnage, ou aux *Feluettes ou la répétition d'un drame romantique* de Michel-Marc Bouchard, où des prisonniers rejouent, devant les protagonistes qui l'ont vécu, un drame advenu des décennies plus tôt.

Ce phénomène de la mise en abyme n'est pas exclusif au théâtre : toutes les formes artistiques, que ce soit le roman, le cinéma, la peinture, la photographie, la bande dessinée, recourent à ce procédé de mise en miroir, qui permet :

- de dresser des parallèles entre deux structures emboîtées ;
- de créer un effet de distanciation du spectateur par rapport à ce qui se déroule sur scène ;
- de créer un certain effet de déstabilisation, voire de vertige du spectateur devant ce qui est représenté ;
- de provoquer une réflexion sur ce qu'est le théâtre, ou plus largement sur ce qu'est l'art en soi.

La structure du texte théâtral (*dispositio*)

La structure du texte théâtral ne repose pas sur des paragraphes ou des chapitres comme dans le texte narratif ou le texte argumentatif. Les notions de personnages, de temps, de lieux commandent d'autres types de subdivisions.

Les subdivisions du texte théâtral visent souvent à recouper, autour d'une même structure, ce qui relève d'un même lieu, d'un même moment, des mêmes personnages, d'une même action :

- dans un souci de logique et de compréhension de l'histoire pour le spectateur ;
- dans un souci plus pragmatique de mise en scène, permettant des coupures qui facilitent les changements de décors, de costumes, etc.

Formes de la structure du texte théâtral

Acte : subdivision classique de la pièce de théâtre, l'acte se caractérise par une **unité d'action** (personnages, temps, lieux). Une pièce compte le plus souvent trois ou cinq actes.

Les trois unités du théâtre classique : central dans le théâtre classique du XVIIe siècle, l'acte répond en partie à une nécessité de vraisemblance. Dans un souci de compréhension de l'histoire par le spectateur, le théâtre devait se soumettre aux règles rhétoriques suivantes : 1) **unité d'action,** soit suppression de toutes les intrigues secondaires à l'action principale ; 2) **unité de temps,** soit temps de l'action équivalant à la durée de la représentation, tout au moins n'excédant pas 24 heures ; 3) **unité de lieu,** soit déroulement de l'action en un seul lieu.

Au XVIIᵉ siècle, la division en actes était aussi commandée par la nécessité beaucoup plus pragmatique du remplacement régulier des bougies servant à l'éclairage des salles.

Scène : subdivision utilisée le plus souvent dans les actes, les scènes se caractérisent par une **unité de personnages.** Toute entrée en scène d'un personnage marque le plus souvent le début d'une nouvelle scène.

Tableau : subdivision reposant plutôt sur une **unité de temps et d'espace.** Ainsi, dans certaines pièces, notamment s'il n'y a pas de division en actes, tout changement de lieu ou d'espace (en présence ou non des mêmes personnages) marque le début d'un nouveau tableau.

La contextualisation théâtrale (*dispositio*)

Contrairement au texte narratif dans lequel un discours descriptif est chargé de localiser et de caractériser l'action, le texte théâtral minimise la présence de toute description au profit des répliques.

C'est sans doute là un des paradoxes du théâtre : art par excellence de la représentation concrète d'une action, le théâtre produit des textes où le contexte doit être déduit, soit des répliques, soit d'indications sommaires, appelées **didascalies,** écrites dans un style télégraphique, exempt de toute dimension esthétique.

Forme de la contextualisation théâtrale

Didascalie : annotation visant à donner des **indications sur les conditions dans lesquelles la pièce de théâtre doit être représentée.** Ces indications, souvent en italique ou entre parenthèses dans le texte théâtral, complètent donc les répliques afin de donner les éléments d'informations suivants :

- noms des personnages présents en scène ;
- nom du personnage qui énonce une réplique ;
- indications relatives aux modes de représentation du personnage (tonalité et expressivité à donner aux répliques, gestuelle, déplacements, mimique, costume, accessoire, etc.) ;
- indications relatives aux modes de représentation de l'espace visuel (lieu et moment de l'action, décor, accessoire, éclairage, positionnement et déplacement des personnages, etc.) ou de l'espace sonore (musique, bruitage, etc.).

EFFET : constitue une instruction, à l'endroit du lecteur ou du metteur en scène, lui permettant de se représenter l'action actualisée par les interprètes dans l'espace-temps scénique. Pareille indication peut être prescriptive ou n'être qu'une simple proposition, que la mise en scène actualisera ou non. Quoi qu'il en soit, elle doit toujours être lue comme un **indice de la signification** à accorder au texte, au personnage, à l'action et à l'espace scénique.

Didascalies impossibles : certaines pièces proposent des didascalies inapplicables sur scène.

C'est notamment le cas du théâtre romantique et du théâtre de l'absurde, qui remirent en question certaines conventions rhétoriques théâtrales. Par exemple, dans *La cantatrice chauve* de Ionesco, comment transposer le caractère « anglais » d'une instruction telle que « La pendule *anglaise* frappe dix-sept coups *anglais* » ? Dans pareils cas, les didascalies sont souvent strictement destinées au lecteur, afin de le faire rire ou de le faire réfléchir sur ce qu'est le théâtre.

LA RHÉTORIQUE DE LA REPRÉSENTATION

La représentation théâtrale (*actio*)

On peut lire une œuvre théâtrale sans tenir compte de sa représentation possible. Cependant, plusieurs jugent qu'une pièce n'acquiert sa signification véritable qu'au moment de sa transposition sur scène. Le spectacle permet en effet l'actualisation des possibilités du texte (répliques et didascalies), à travers sa matérialisation par l'acteur et par la création de l'espace scénique (visuel et auditif). Cette actualisation implique le recours à une palette de **langages théâtraux** que le texte ne peut que suggérer : gestuelle, décor, éclairage, etc.

La mise en scène de l'œuvre théâtrale :

- concourt moins à une traduction fidèle du texte qu'à une transposition et à une interprétation, ce qui conduit souvent à voir dans le metteur en scène et les artistes qui l'entourent des créateurs au même titre que le dramaturge ;

- peut être en adéquation ou non avec ce que le dramaturge propose dans son texte. Par conséquent, il peut y avoir des écarts de sens entre l'œuvre écrite et l'œuvre jouée. Ces écarts s'expliquent par les différences entre la rhétorique du texte et la rhétorique de la représentation ; ils s'expliquent aussi souvent par l'appartenance des créateurs à des contextes socioculturels distincts (époque, nationalité, etc.), ce qui implique leur soumission à des codes culturels et idéologiques différents.

Particularités de la création collective

Pareil clivage entre texte et représentation est parfois difficile à établir : c'est le cas dans ce qu'on appelle, au XXᵉ siècle, les **créations collectives,** œuvres théâtrales qui remettent en question la notion d'auteur – l'œuvre étant souvent créée par les comédiens eux-mêmes –, de même que celle de texte – la pièce ne prenant sa forme qu'au fil de répétitions et de représentations en public. Ce phénomène n'est pas sans rappeler le théâtre de canevas où la pièce était d'abord jouée, puis transcrite : certaines des pièces de Molière et de Shakespeare, qui conjuguaient les fonctions d'auteurs et de metteurs en scène, sont sans doute nées du jeu avant de prendre leur forme écrite définitive.

De nos jours, cette démarche de *work in progress* a de plus en plus cours, notamment dans des approches telles que celles de Robert

Lepage et de son Théâtre Repère. Semblables démarches théâtrales contribuent à donner toute son importance à la rhétorique de la représentation, voire à redéfinir son usage.

Langages de la représentation théâtrale

L'acteur et son jeu : le statut d'« interprète » de l'acteur signifie d'office que ce dernier a un rôle à jouer dans la signification de son personnage. Sur scène, l'acteur est un signe visuel et auditif à l'égal des autres éléments soumis au spectateur, et ce, qu'il ait un rôle parlant ou non. D'emblée, choisir un interprète plutôt qu'un autre n'est pas innocent : l'âge, les caractéristiques physiques, le timbre de la voix, etc., sont autant d'éléments qui participent à la signification globale d'un personnage.

L'ensemble des langages théâtraux mis à la disposition de l'acteur sont donc toujours présents, d'une manière ou d'une autre, et se combinent dans sa création du personnage.

- **Le ton et l'intonation : façon dont le texte est prononcé** par l'acteur, ce qui peut en changer le sens et la valeur. Principaux éléments à prendre en considération : rythme, vitesse et intensité de la voix, présence de pauses et d'hésitations volontaires, diction et prononciation, accent et registre de langue adoptés, etc.

- **Les mimiques et le regard :** recouvrent ce qui a trait à **l'expression du visage** de l'acteur. Principaux éléments à prendre en considération : expressions faciales, attitude d'ouverture ou de fermeture du visage, contact visuel (ou non) avec les autres personnages ou avec la salle, etc.

- **La gestuelle :** recouvre ce qui a trait à l'**attitude corporelle** de l'acteur (mains, maintien, etc.). Principaux éléments à prendre en considération : gestuelle d'imitation d'actions ou d'expression d'émotions, attitude d'ouverture ou de fermeture du corps, dynamisme ou statisme dans les gestes, gestuelle de contact (ou non) avec les autres personnages.

- **Les mouvements :** recouvrent ce qui a trait aux **déplacements et aux lieux de position- nement** de l'acteur sur scène. Principaux éléments à prendre en considération : mobilité ou immobilité sur scène, rapprochements ou éloignements des personnages, parties de la scène occupées ou non, station assise ou debout, etc.

EFFET : pour l'ensemble de ces langages associés au jeu de l'acteur, les effets de sens peuvent être les suivants :

- ils doivent être décodés comme donnant des indications sur l'état psychologique, sur la personnalité, sur l'intentionnalité, sur l'expressivité du personnage, de même que sur ses rapports aux autres personnages, etc. ;

- ils peuvent être en adéquation ou en contra- diction avec le contenu des répliques du personnage, voire avec les didascalies.

Tout changement dans le ton, dans la mimique et le regard, dans la gestuelle ou dans les mouvements exécutés au fil de la pièce et selon les autres personnages côtoyés peuvent être signifiants. Ils expriment souvent la transformation ou l'évolution du personnage.

Artefacts de l'acteur : on appelle « artefacts » les divers accessoires servant à habiller l'acteur.

- **Le costume :** éléments (vêtements, bijoux, etc.) dont on revêt l'acteur.
- **La coiffure :** arrangement des cheveux, de la barbe, de la moustache ; ajout de postiches.
- **Le maquillage et le masque :** transformation du visage par un moyen ajouté, notamment dans un but d'accentuer les traits pour les rendre visibles depuis la salle.

EFFET : pour l'ensemble de ces langages associés aux artefacts de l'acteur, les effets de sens peuvent être les suivants :

- dans une optique **réaliste,** ils permettent la création, l'accentuation des caractéristiques du personnage, qu'elles soient liées à l'âge, au sexe, à l'appartenance à une classe sociale, à une profession, à une époque, etc. ;
- dans une optique **symbolique,** ils peuvent refléter la psychologie du personnage, la thématique à laquelle sa présence fait allusion ou sa ressemblance avec d'autres personnages. Ces éléments peuvent conduire à la caricature des traits du personnage (stéréotypes et archétypes). Ils peuvent donc souvent être

culturellement marqués, chaque époque, chaque société, chaque sexe, chaque classe sociale possédant ses codes culturels.

Dans tous les cas, il faut tenir compte des changements de costume, de coiffure ou de maquillage. Ils expriment souvent la transformation ou l'évolution du personnage.

Théâtre grec antique et commedia dell'arte : plusieurs traditions théâtrales utilisent systématiquement des masques ou des costumes stéréotypés, les jugeant indissociables de la notion même de personnage. Masques, maquillages, de même que certains costumes permettent en effet de créer des **personnages reproductibles à l'identique,** quel que soit l'interprète qui le joue.

Ainsi, dans le **théâtre grec,** tout spectateur savait identifier les personnages en fonction de certains codes rhétoriques : masques foncés pour les hommes et blancs pour les femmes (jouées par les hommes) ; masques imberbes pour les jeunes ou barbus et chauves pour les vieux, etc. Il devenait tout à fait normal qu'un acteur puisse interpréter plusieurs personnages à la fois, et ce, quels que soient leur âge et leur sexe.

Au Moyen Âge et à la Renaissance, la **commedia dell'arte,** originaire d'Italie, reposait également sur ces conventions, qui se manifestaient à travers des représentations de personnages aux caractères stéréotypés : Arlequin, Pantalon, Colombine, Matamore, etc. Certaines rhétoriques théâtrales orientales, tel le théâtre nô japonais, reposent sur des préceptes similaires. Il en est de même dans certaines traditions théâtrales axées sur l'usage de la **marionnette,** notamment le guignol ou le théâtre balinais.

Dans toutes ces traditions, l'identité de l'acteur s'efface devant celle du personnage.

Espace scénique visuel : on appelle ainsi tout ce qui, sur scène et à l'exception de l'acteur, peut être **offert à la vue des spectateurs.**

- **L'accessoire : objet contribuant à l'action** et à la signification de la pièce. Il peut être associé au décor (vaisselle, lampe, cendrier, etc.) ou à un acteur (cigarette, lettre, valise, mouchoir, etc.).

- **Le décor :** ensemble des éléments visuels **organisant l'espace de jeu** et visant souvent à représenter un lieu, que ce soient des meubles, des panneaux, des rideaux dessinés, etc. Le décor permet souvent de diviser la scène en sous-espaces qui conditionnent les déplacements et la position des acteurs : obstacles nuisant aux déplacements des personnages, estrades (hiérarchisation), espaces réservés à certains personnages ou à certaines actions, etc.

- **L'éclairage :** mode de découpage de l'espace visuel par des **effets de lumière,** produits sur scène (lampe, chandelier, etc.) ou hors scène (projecteurs). L'éclairage a d'abord pour objectif de rendre visible, pour les spectateurs, ce qui est sur scène : sans lumière, aucun élément visuel n'existe. Il permet aussi de :

- créer des ambiances : climats, atmosphères, moments du jour, émotions, etc. ;
- mettre l'accent sur des éléments de décor, des personnages, des parties de la scène, des répliques ;
- diviser la scène en sous-espaces qui conditionnent les déplacements et la position des acteurs ;
- se substituer à d'autres éléments de signification, un changement d'éclairage pouvant signifier une porte qu'on ouvre, un changement de lieu, un passage de la réalité au rêve, etc.

Enfin, il est à noter que, dans tous les cas, il est possible d'amplifier le sens des éclairages par l'usage de la couleur, les projecteurs pouvant être teintés.

EFFET : pour l'ensemble de ces langages associés à l'espace scénique, les effets de sens peuvent être les suivants :

- dans une optique **réaliste,** ils permettent la représentation du lieu réel suggéré par l'action ;
- dans une optique **symbolique,** ils peuvent être un reflet des enjeux et des thématiques fondatrices de l'action et des personnages.

Dans tous les cas, il faut tenir compte des changements subis par l'espace scénique. Ils expriment souvent une transformation ou une évolution de l'action et des personnages.

L'évolution de la scène : la salle et la scène théâtrales telles que nous les connaissons aujourd'hui sont la résultante de l'évolution de l'espace théâtral depuis ses débuts jusqu'à l'ère technologique actuelle. La rhétorique théâtrale a longtemps divisé les espaces scéniques en appliquant certains codes régissant la localisation des spectateurs, des personnages et des actions en des **espaces dédiés** à chacun selon son rôle. Le théâtre grec dissociait l'orchestre, réservé au chœur, de la *skènè* (scène), réservée aux acteurs ; le théâtre médiéval, souvent joué au milieu du public, répartissait les actions autour de mansions (l'Enfer, le Paradis, le Monde) ; le théâtre élisabéthain, quant à lui, délimitait le proscenium de la scène d'intérieur et de la scène haute. Pendant longtemps, aucun élément de décor (meubles, rideaux, etc.) ni aucun éclairage n'était utilisé, les pièces étant jouées de jour en plein air.

Dans la tradition théâtrale occidentale, ce n'est qu'avec l'invention de la scène à l'italienne (espace souvent surélevé, distinct de la salle et encadré de trois murs, le quatrième étant ouvert vers le public) qu'est né un **espace scénique vraiment modulable** par des changements de décors, au départ uniquement dessinés sur des toiles.

Véritablement apparus au XIXe siècle, les premiers metteurs en scène transgressèrent les codes scéniques théâtraux, faisant de l'espace scénique un espace modifiable en fonction des enjeux des pièces et de la mise en scène. Ils ont ainsi pavé la voie à de nouvelles pratiques ou, encore, amalgamé les modèles rhétoriques anciens.

Au début du XXe siècle, l'électrification des théâtres a aussi accru la liberté des metteurs en scène en rendant possibles des effets d'éclairage auxquels on n'aurait pu songer auparavant : jeux d'ombres, faisceaux, division des espaces par la lumière, etc.

Aujourd'hui, le multimédia favorise l'éclosion de langages nouveaux, voire virtuels, qui entraînent une refonte de certains codes rhétoriques liés à l'espace scénique.

Espace scénique auditif : on appelle ainsi tout ce qui, sur scène et à l'exception de l'acteur, peut être **offert à l'ouïe des spectateurs.** Il peut s'agir d'effets produits sur scène ou hors scène, qu'ils soient préenregistrés ou non :

- **les bruits :** mode d'organisation de l'espace auditif par des **effets sonores** (porte qui claque, coup de feu, pluie qui tombe, etc.) ;
- **la musique :** mode d'organisation de l'espace auditif par une musique, jouée sur scène ou non.

EFFET : pour l'ensemble de ces langages associés à l'espace scénique auditif, les effets de sens peuvent être les suivants :

- ils permettent, en étant utilisés à des moments précis, de mettre l'**accent sur des éléments,** tels que des composantes de décors, des personnages, des parties de la scène, des répliques précises… ;
- ils permettent, selon le type de musique ou de bruits choisis, de **créer des ambiances** : climats, atmosphères, émotions… ;

- ils peuvent, par leur contenu, **révéler le sens d'une scène** : idée de violence, idée de douceur, signification humoristique, critique, parodique, tragique, etc. (ex. : scène de guerre sur une musique humoristique).

Dans tous les cas, il faut tenir compte des changements subis par l'espace auditif. Ils expriment souvent une transformation ou une évolution de l'action et des personnages.

Tableau 3. Les principaux discours théâtraux

Drame	**Mise en scène « réaliste » de conflits** que les humains ont avec d'autres humains ou avec eux-mêmes (conflits intérieurs) : sont ainsi illustrées les relations humaines, sociales, professionnelles, amoureuses…
Comédie	**Mise en scène « amplifiée » de conflits** que les humains ont avec d'autres humains ou avec eux-mêmes (conflits intérieurs) en exagérant, dédramatisant, parodiant, grossissant, caricaturant, accentuant leurs travers, leurs défauts, les excès des situations, etc. On distingue la **comédie d'intrigue** (mise en scène de situations), de la **comédie de mœurs** (mise en scène de relations) et de la **comédie de caractères** (mise en scène de personnages).
Tragédie	**Mise en scène de conflits entre l'homme (héros) et des forces plus grandes que lui** et contre lesquelles il ne peut pas sortir gagnant (dieux, fatalité, destin, honneur, conscience, justice, devoir, etc.).

LES DISCOURS DE L'ESTHÉTISME

D'emblée, il semble que le discours poétique soit plus difficile à définir que les autres. On peut déceler au moins deux raisons à cela.

- Pendant des siècles, la poésie n'a pas été un genre autonome, mais une **technique** permettant de mettre en texte tous les types de discours. Les premiers textes narratifs, les premières pièces de théâtre, les premiers grands discours argumentés comme les premiers poèmes se sont présentés sous forme versifiée et rimée, notamment parce qu'ils étaient plus faciles à mémoriser ainsi. Sous cette acception, « poésie » s'opposait à « prose » et concourait davantage à définir un mode d'organisation des textes, donc une *dispositio,* qu'un type de discours aux finalités spécifiques.

  On ne peut cependant pas parler de rhétorique sans faire allusion à ce discours poétique, car on doit à cette technique d'écriture (cette *technè*) certaines des contraintes rhétoriques les plus importantes, désignées sous le nom de **versification.** De nos jours, marginaux sont les textes narratifs, théâtraux ou argumentatifs versifiés et rimés. Depuis le XIXe siècle, même la poésie délaisse ces contraintes, la versification n'étant plus un critère permettant de définir certains discours poétiques.

- En effet, depuis le XXe siècle, une nouvelle définition de la poésie s'est imposée et, partant, une « nouvelle rhétorique » a progressivement pris force de loi. De la tradition poétique qui l'a précédée, elle a gardé l'héritage de la *technè,* soit la nécessité d'un travail esthétique sur la langue. La versification avait pour effet d'obliger à écrire avec concision et précision ; on gardera de cette caractéristique le souci d'un travail esthétique axé sur l'essentiel, sur l'économie de mots, même au risque, parfois voulu, de l'hermétisme. L'écriture poétique moderne élimine souvent le superflu – certains mots, certaines explications, certains liens entre les idées – pour aller directement au message. Avec la modernité, le travail poétique de la langue se caractérisera plus que jamais par l'usage des **figures du discours,** et notamment des métaphores (images) qu'on envisage comme des instruments permettant, de la façon la plus concise, la création du sens.

LES ORIGINES DU DISCOURS POÉTIQUE

Plus qu'un genre, la poésie a donc déjà été considérée comme une technique, une *dispositio,* permettant de mettre en discours tout texte, quelle qu'en soit la finalité. En privilégiant plutôt l'usage des figures, la poésie moderne a progressivement mis l'accent sur l'*elocutio,* soit sur la manière de dire. Encore aujourd'hui, le poétique peut caractériser tout texte qui remplit les conditions de la définition suivante : un discours qui cherche à user de la langue pour elle-même et à réfléchir sur ses effets de sens possibles, sans qu'il soit nécessaire de raconter, d'argumenter, d'informer.

Par respect pour l'histoire de la rhétorique poétique, il faudra en premier lieu s'attarder à la versification, dont l'usage était central dans la poésie d'avant la modernité. Il faudra aussi s'arrêter sur ce que les théoriciens des années 1960 appelaient la « rhétorique restreinte », soit les figures de style, ou **figures du discours.** Procédés centraux de l'*elocutio,* souvent synonymes de rhétorique et présentes dans tous les types de discours, les figures seront traitées isolément dans la deuxième partie de cet ouvrage.

L'ÉNONCIATION POÉTIQUE (*INVENTIO*)

On définit souvent l'énonciation poétique comme étant celle du « je », du lyrisme. La poésie est en effet souvent perçue comme le discours par excellence de l'expression de la sensibilité et du vécu personnels : **l'imaginaire collectif a même donné au poète un visage, celui d'un écrivain de l'intériorité,** de l'âme, de la passion et de ses tourments.

Cette vision est en fait un héritage de l'âge romantique (XIXe siècle), époque où la poésie s'est définie comme discours lyrique, axé sur l'expression du « moi », et opposé au discours épique, axé sur le récit des grandes figures historiques. Ce mythe du créateur sensible n'a fait que se renforcer avec Baudelaire et les symbolistes, qui ont ajouté la « marginalité » à ses traits en inventant la figure du « poète maudit », incompris et isolé du monde. Ces archétypes demeurent vivants aujourd'hui, preuve que certaines conventions rhétoriques, même obsolètes, peuvent avoir force de loi à long terme.

Quoi qu'il en soit, on aurait tort de restreindre l'énonciation poétique à cette seule « énonciation à la première personne du singulier ». **La poésie utilise tous les types d'énonciation,** de la plus subjective à la plus objective, de la plus individuelle à la plus collective. Il n'en demeure pas moins que, pour nombre de poèmes et notamment ceux qui s'inscrivent dans la tradition des Romantiques, l'énonciation lyrique reste une convention rhétorique presque obligée.

LA VERSIFICATION (*DISPOSITIO*)

On reconnaît souvent un poème à sa forme, la poésie substituant des vers à des phrases, ou des strophes à des paragraphes. Ces quelques particularités relèvent de ce qu'on appelle la **versification,** qui désigne un certain nombre de contraintes rhétoriques que posait la poésie « classique » (avant le XXᵉ siècle).

Formes de la versification

Vers : segment de texte autonome, qu'on ponctue
non pas par des points, mais par un changement de
ligne. Traditionnellement, un vers a une longueur
déterminée et forme un segment indépendant des
autres vers.

Mesure du vers (métrique) : on calcule la
longueur d'un vers en unités s'apparentant aux
syllabes et appelées **pieds.** Toutes les syllabes
d'un vers se comptent, sauf celles se terminant
par un « e » muet si elles sont en fin de vers ou
suivies d'une syllabe commençant par une voyelle
ou un « h » muet.

> *Un/ hom/me a/ tra/ver/sé/ le/ dé/sert/ sans/*
> *[rien/ boir/e*
> *Et/ par/vien/t u/ne/ nuit/ sur/ les/ bords/*
> *[de/ la/ mer*
> *I/l a/ plus/ soi/f en/co/re à/ voir/ le/ flot/*
> *[a/mer*
> *Ce/t hom/me est/ mon/ dé/ sir/, la/ me/r est/*
> *[ta/ vic/toir/e.*

Guillaume Apollinaire

Dans les formes classiques, un poème est le
plus souvent constitué de vers ayant tous la
même longueur, ou dont les longueurs alternent
régulièrement selon des règles définies (voir
« Formes fixes et formes libres », p. 89).

La longueur de vers la plus prisée de la
poésie française est l'**alexandrin,** soit un vers de
12 pieds. D'autres longueurs existent : monosyllabe
(1 pied) ; dissyllabe (2 pieds) ; trisyllabe (3) ;

quadrisyllabe (4) ; pentasyllabe (5) ; hexasyllabe ou hexamètre (6) ; heptasyllabe (7) ; **octosyllabe** (8) ; ennéasyllabe (9) ; **décasyllabe** (10), etc.

Selon les règles de la métrique classique et dans un souci rythmique, il est aussi de rigueur de prévoir, à mi-parcours des vers les plus longs, la présence d'une pause appelée **césure.** Dans le cas de l'alexandrin classique, cette coupure s'opère invariablement en divisant le vers en deux segments de 6 pieds, appelés **hémistiches.**

EFFET : plus un vers est court, plus il saute aux yeux – et aux oreilles ! – et donne un rythme rapide et léger au texte. Il peut donc être intéressant de comparer, d'un côté, la longueur particulière de certains vers et la place de leur césure et, de l'autre côté, le sens et l'effet rythmique recherchés.

Autonomie du vers : à l'instar de la phrase de la prose, un vers correspond plus ou moins, en français, à un segment qui devrait se lire indépendamment des autres vers. Traditionnel-lement, on ne pouvait pas, par exemple, isoler le sujet dans un vers et son verbe dans un autre. Si un vers en chevauche ainsi un autre, on parle d'un phénomène d'**enjambement.** On dira qu'il y a **rejet** si la « phrase » ou le syntagme débute brièvement dans le premier vers et finit longuement dans l'autre :

Souvenir, souvenir, que me veux-tu ?

[L'automne
Faisait voler la grive à travers l'air atone.

Paul Verlaine

ou **contrerejet** si la « phrase » ou le syntagme débute longuement dans le premier vers et finit brièvement dans l'autre :

> *Je ramassais un plat de je ne sais quel mets*
> *Belge, et je m'épatais dans mon immense*
> *[chaise*
> Arthur Rimbaud

EFFET : crée une séparation entre deux parties d'une « phrase », amenant à les percevoir et à les interpréter d'abord isolément, telles deux unités de sens autonomes. Généralement, la partie rejetée est importante.

Rime : principe de répétition des mêmes sons en finale de vers. Traditionnellement, plus une rime associe des mots partageant plusieurs sonorités similaires, plus elle sera jugée riche :

Rime pauvre	Rime suffisante	Rime riche
un seul son en commun : *mangé / laissez* (ici *é*)	deux sons en commun : *jeta / constat* (ici *t* et *a*)	trois sons et plus en commun : *savoir / devoir* (ici *v*, *oi* et *r*)

On distingue les rimes dites **féminines** (celles dont les mots se terminent par des « e » muets : belles/ombrelles, navire/chavire, etc.) des rimes dites **masculines** (toutes les autres : venant/plan, loin/coin, pleurs/cœur, etc.). Traditionnellement, un poème devait faire alterner rimes féminines et rimes masculines.

EFFET : le principe d'alternance des rimes vise un **effet rythmique,** les mêmes sons revenant en écho d'un vers à l'autre. De moins en moins utilisée aujourd'hui en poésie, la rime fait perdurer ses effets dans la chanson, montrant bien son rôle dans la musicalité d'un texte. La rime concourt également à un **rapprochement sémantique** entre les éléments qu'elle associe.

Utilité de la rime et du vers : la *memoria.* Dans les cultures de transmission orale, il était essentiel de s'assurer que les textes produits pouvaient être retenus. Il est plus facile de se rappeler un texte où s'inscrivent des principes d'alternance rythmique, tels les vers, ou des repères phonétiques, telle la mise en écho des rimes. Le fait que le discours narratif (jadis transmis oralement par les aèdes, les troubadours et les conteurs) a longtemps été versifié et rimé répond à cette nécessité. Il en est de même des œuvres théâtrales qui doivent, encore aujourd'hui, être apprises puis récitées.

Vers et rimes sont demeurés vivants dans la chanson populaire et dans le discours publicitaire, car il s'agit là de discours, souvent oraux, qu'on cherche à faire retenir par les auditeurs dès la première écoute.

Strophe : une strophe correspond plus ou moins au paragraphe de la prose et suppose une certaine unité de sens entre les vers qui la composent.

▪ **Longueur de la strophe :** une strophe, comme un vers, peut être de longueur variable :

monostiche (1 vers) ; distique (2) ; **tercet** (3) ; **quatrain** (4) ; quintil (5) ; sizain (6) ; septain (7) ; huitain (8) ; dizain (10) ; douzain (12), etc.

- **Disposition des rimes dans la strophe :** dans une strophe, on dispose habituellement les rimes selon certains modèles d'alternance.

Rimes plates	Rimes croisées	Rimes embrassées
toujours A	toujours A	toujours A
amour A	caresse B	caresse B
caresse B	amour A	tendresse B
tendresse B	tendresse B	amour A

- **Autonomie de la strophe :** à l'instar du paragraphe de la prose, on devrait habituellement être en mesure de dégager une idée centrale de chaque strophe.

EFFET : la strophe n'est donc pas qu'une forme au service de la mise en page visuelle du texte ; il s'agit d'une **structure argumentative** qui donne prise aux structures thématiques.

LES FORMES FIXES ET LES FORMES LIBRES (*DISPOSITIO*)

Historiquement, la versification a donné naissance à des formes que les auteurs, selon les époques, se voyaient plus ou moins obligés de respecter. Certaines structures de poèmes sont des **formes fixes,** c'est-à-dire qu'elles reposent sur une série de **contraintes** incontournables : nombre de vers et de strophes, principes d'alternance entre les rimes, etc.

La modernité littéraire (XIXe et XXe siècles), mise de l'avant par les romantiques (Hugo, Lamartine, Vigny), les symbolistes (Baudelaire, Rimbaud, Lautréamont, Mallarmé, etc.) et les surréalistes (Apollinaire, Breton, Prévert, etc.) a progressivement conduit à l'abolition de ces diktats. La proclamation par les poètes du pouvoir souverain de la création et de l'imagination a rendu possible l'éclosion de ce qu'on appelle les **formes libres,** soit des formes poétiques qui ne répondent plus aux contraintes.

Qui dit « forme libre » ne dit cependant pas liberté totale, ni absence de structure ou de rythme poétique : la liberté signifie ici que la structure n'est pas commandée d'office, mais qu'elle répond à la logique interne spécifique à chaque texte. Schématiquement, l'auteur n'adapte pas son propos à une forme de *dispositio* définie, mais choisit une forme en fonction de son propos.

Il serait réducteur de voir dans des canevas d'écriture tout faits des formes qui ne visent qu'à restreindre la créativité et la liberté d'expression des auteurs. **Aux contraintes formelles sont souvent associées des contraintes thématiques et structurelles,** qui conduisent les auteurs à organiser et à synthétiser leur pensée. Dans le cas des formes libres, cette exigence de cohérence et de concision thématiques et structurelles prendra tout simplement une forme différente.

Principales formes fixes et libres

Formes fixes : il faut souvent établir des parallèles entre la forme fixe utilisée et les thèmes abordés.

Le sonnet : forme extrêmement contraignante d'origine sicilienne, le sonnet est une des structures les plus courantes en poésie française. Pour être considéré comme conforme au modèle, il doit respecter les règles suivantes :

- Le sonnet est composé de **quatorze vers** (habituellement des **alexandrins**), groupés en **deux quatrains** suivis de **deux tercets** (souvent considérés comme un sizain).

- Le sonnet dit **régulier** respecte l'un des schémas de rimes suivants :

soit	ABBA/ABBA/CCD/EDE
ou	ABBA/ABBA/CCD/E**ED**
soit	A**BAB/ABAB/**CCD/EDE
ou	A**BAB/ABAB/**CCD/E**ED**

- Habituellement, les deux quatrains développent **une même idée,** tandis que les deux tercets **s'y opposent ou sont à placer en parallèle** avec ceux-ci.

- Le dernier vers du sonnet, qui constitue la **chute du poème,** est souvent plus dense, plus complexe.

EFFET : veille à mettre en place une véritable **argumentation par analogie,** où le début du texte est thématiquement opposé ou mis en parallèle avec sa fin. Le dernier vers, qui doit souvent être lu comme la synthèse du texte, renforce également cet aspect argumentatif (thèse/anti-thèse/synthèse).

Sonnet baudelairien et modernité : on pourrait s'étonner qu'un auteur tel que Baudelaire, considéré comme un des instigateurs de la modernité (mouvement qui proclame la suprématie de l'auteur dans la création), ait fait du sonnet une de ses formes de prédilection. Si les premiers auteurs de la modernité (Mallarmé, Rimbaud, etc.) ont néanmoins utilisé le sonnet, c'est qu'ils y voyaient un instrument de concision et de précision compatible avec leur vision de ce qu'était la poésie, c'est-à-dire un langage permettant de synthétiser la pensée :

> *Quel est donc l'imbécile* [...] *qui traite si légèrement le sonnet et n'en voit pas la beauté pythagorique ? Parce que la forme est contraignante, l'idée jaillit plus intense. Tout va bien au sonnet, la bouffonnerie, la galanterie, la passion, la rêverie, la méditation philosophique. Il y a là la beauté du métal et du minéral bien travaillés. Avez-vous observé qu'un morceau du ciel, aperçu par un soupirail, ou entre deux cheminées, deux rochers, ou par une arcade, etc.,* [...] *donnait une idée plus profonde de l'infini qu'un grand panorama vu du haut d'une montagne ? Quant aux longs poèmes, nous savons ce qu'il faut en penser ; c'est la ressource de ceux qui sont incapables d'en faire de courts !*

Charles Baudelaire,
« Lettre à Armand Fraisse »
(18 février 1860)

Le pantoum : forme littéraire, d'origine malaise, respectant une structure conventionnelle.

- Formellement, le pantoum est constitué de **quatrains à rimes croisées où les deuxième et quatrième vers sont repris comme premier et troisième vers du quatrain suivant.** Au terme de ce jeu d'alternance, le premier vers du poème devient le dernier.

- Thématiquement et argumentativement, le pantoum présente **deux thèmes qui alternent** et qui sont respectivement traités dans les deux premiers et dans les deux derniers vers de chaque quatrain.

EFFET : permet la mise en parallèle, en complémentarité ou en opposition, de deux structures thématiques distinctes.

La ballade : forme littéraire utilisée dès le Moyen Âge et respectant une structure conventionnelle.

- La ballade est formée de **trois strophes, dont le nombre de pieds par vers correspond au nombre de vers par strophe** (généralement 8 ou 10).

- Chaque strophe se termine par un **refrain** permettant d'insister sur un thème précis.

- S'ajoute à la fin une demi-strophe, appelée **envoi,** où est repris le refrain et dans laquelle le poème se voit dédié ou destiné à un lecteur précis : prince, femme aimée, mécène, etc.

EFFET : permet souvent le développement d'une thématique personnelle, expression des émotions du « je », puis une ouverture sur une perspective plus large dans l'envoi où l'on s'adresse directement à quelqu'un.

L'ode : forme littéraire, d'origine grecque antique, respectant une structure conventionnelle.

- Formellement, l'ode est constituée de strophes symétriques, traditionnellement destinées à être chantées.
- Thématiquement, elle est de type lyrique, donc axée sur l'expression des sentiments.

EFFET : permet souvent la mise en place d'une thématique axée sur l'expression exaltée des émotions, qu'elles soient personnelles ou collectives.

Le haïku : forme littéraire, d'origine japonaise, respectant une structure conventionnelle.

- Formellement, le haïku est constitué de trois vers respectivement de cinq, sept et cinq pieds.
- Thématiquement, il exprime le caractère momentané de toute chose et doit faire référence à la nature.

EFFET : illustre la brièveté de l'existence, autant par sa concision formelle que par ses thèmes.

Codes rhétoriques et différences culturelles : le haïku appartient de plein droit à la culture japonaise, dont les codes rhétoriques diffèrent des codes occidentaux. Basé sur les structures de la syntaxe et de la sémantique de la langue japonaise, le haïku s'écrit en trois « vers » disposés sur une seule ligne ; ancré dans la spiritualité orientale, il exclut le recours à l'émotion et à la métaphore, rejetant ainsi en bloc certains des éléments emblématiques de la rhétorique poétique française. Il serait donc inexact d'accoler nos exigences rhétoriques occidentales à ce que doit être un haïku véritable.

Formes libres : comme dans le cas des formes fixes, il faut souvent établir des parallèles entre la forme utilisée et les thèmes abordés.

Le poème en vers libre : il y a toujours présence de vers, mais ils ne sont plus assujettis à une métrique régulière ni à la rime.

EFFET : permet plus de souplesse, sans pour autant rejeter l'exigence d'un travail sur la forme et sur le rythme.

Le poème en prose : le texte ne se présente plus sous la forme de vers ni de strophe, c'est-à-dire de poème au sens traditionnel du terme.

EFFET : permet plus de souplesse, sans pour autant rejeter l'exigence d'un travail sur la forme et sur le rythme dans la phrase et dans les paragraphes. Ici, la présence du discours poétique relèvera souvent moins de la *dispositio* que de l'*elocutio,* rendue tangible à travers l'usage des figures.

Le calligramme : texte dont les mots qui le constituent ont été géométriquement disposés sur la page pour former un dessin, faisant écho à sa signification.

EFFET : permet d'établir des parallèles entre le sens des mots et la forme d'une image émanant de ceux-ci.

La littérature au-delà des mots : bien que ce type de texte-dessin tire son origine de l'Antiquité, c'est à Apollinaire (1918) qu'on lui doit son nom de calligramme. Poète fréquentant les penseurs du cubisme tels que Picasso ou Braque, Apollinaire fut l'un des premiers à tenter de concilier littérature et arts picturaux. Cette démarche se poursuivra pendant tout le XXe siècle, dans des œuvres multimédias qui réunissent la littérature, la musique, le cinéma, la peinture, la bande dessinée, etc. Il devient donc de plus en plus difficile de traiter les œuvres littéraires par le seul biais d'une rhétorique du texte.

LES FIGURES DE RHÉTORIQUE OU FIGURES DE STYLE

Qui dit rhétorique dit souvent figures de style. On a longtemps limité l'étude de la rhétorique à ce qui avait trait au style, à l'*elocutio*. À travers les siècles s'est ainsi établie une nomenclature exhaustive de ces différents « tours de mots et de pensée qui animent ou ornent le discours », (Dumarsais, rhétoricien du XVIIIe siècle). Après plus de vingt siècles de tentatives de classification de plus en plus pointues, on se retrouve dans un capharnaüm de 300 figures. On nous pardonnera de ne retenir ici que les plus importantes, les autres n'en représentant que des formes plus précises.

Ces différentes figures de rhétorique répondent donc aux exigences de style auxquelles l'*elocutio* soumet l'écriture. Cependant, on doit considérer que, d'une certaine manière, elles répondent également à des exigences argumentatives et sémantiques (*dispositio* et *inventio*). Les figures ne servent pas seulement à « faire joli », et ce serait une erreur de les interpréter strictement à partir de leur valeur et de leurs effets esthétiques. Fondamentalement, ces figures sont souvent un lieu d'expression, dans une formulation condensée en quelques mots, de tensions argumentatives et des réseaux sémantiques dont on retrouve les échos dans la structure globale des textes. C'est de cette manière qu'il faut avant tout mesurer leurs effets.

Considérons d'abord qu'il existe trois grandes catégories de « jeux » auxquelles on peut soumettre les mots : jeux avec les sons ou avec les lettres, jeux avec la syntaxe, jeux avec le sens des mots.

Types de figures	Définition	Mode de fonctionnement	Principales figures expliquées
Figures phonétiques ou graphiques (jeux avec les sons ou avec les lettres)	*association de mots dont les sonorités ou l'écriture se ressemblent, s'opposent ou, encore, formation de nouveaux mots*	par **analogie** phonétique ou graphique	*allitération, assonance, harmonie imitative, paronomase, contrepèterie, calembour, antanaclase*
		par **invention** phonétique ou graphique	*apocope, syncope, néologisme, mot-valise, onomatopée*
Figures de construction (jeux avec la syntaxe)	*modification de la structure des phrases et des syntagmes*	par **redondance** syntaxique	*répétition, anaphore, épiphore, énumération, gradation*
		par **déplacement** syntaxique	*inversion, hyperbate, chiasme (anti-métabole)*
		par **suppression** syntaxique	*ellipse, zeugme*

Les figures de rhétorique ou figures de style

Figures de sens et de pensée (jeux avec le sens des mots)	association de mots dont le sens est habituellement éloigné	par **contiguïté** sémantique	métonymie, synecdoque, hyperbole, litote, euphémisme
		par **analogie** sémantique	comparaison, métaphore (métaphore filée), personnification (allégorie), synesthésie
		par **opposition** sémantique	antithèse, oxymore, ironie

FIGURES PHONÉTIQUES
OU GRAPHIQUES

À la base de tout texte se trouvent les mots, « matière première » de ce qui peut être dit. Le caractère unique de chacun se reconnaît non seulement à son sens particulier (son **signifié**), mais aussi à sa forme matérielle spécifique, soit les lettres et les sons qui le constituent et qui le différencient des autres (son **signifiant**). C'est sur cet aspect que jouent les figures phonétiques et graphiques en s'attardant à **l'identité matérielle des mots.**

ANALOGIE PHONÉTIQUE
OU GRAPHIQUE

On trouve ici les cas où les mots sont associés les uns aux autres **en vertu des similarités entre les sons ou les lettres qui les constituent.**

La figure d'analogie phonétique ou graphique :
- conduit à des rapprochements entre des mots qui, bien qu'ayant des sens différents, se ressemblent phonétiquement ou graphiquement ;

103

▪ concourt à donner un rythme au texte.

Mise en garde : ne jamais confondre répétition de lettres et répétition de sons. Par exemple, la consonne /c/ peut donner naissance à des sons différents, devenant *s* (lacer), *k* (lac), *ch* (lâche). Il en est de même de voyelles comme *a* (bas) qui deviendra *an* (banc), *in* (bain), *o* (baux), *è* (baie), etc. **On ne doit pas rechercher les lettres répétées, mais les sons qu'elles concourent à former.**

Principales figures d'analogie phonétique ou graphique

Allitération et assonance : répétition, dans une ou plusieurs phrases ou vers successifs, de mots dont les **sons consonantiques** (allitération) ou les **sons vocaliques** (assonance) sont similaires.

EFFET : conduit à des rapprochements entre les mots qui se ressemblent phonétiquement et concourt à donner du rythme au texte.

ALLITÉRATION : *Les foules remuaient, les foules aux marées / Contraires, dont les flots emmêlent leur rumeur / Je m'y jetai, d'une âme intense, immodérée* (Robert Choquette).

ASSONANCE : *Ça sonne comme l'homme qu'on nomme / Se nomme lui-même autonome / Autochtone de sa propre personne* (Loco Locass).

Rhétorique et esthétique du rap : on peut certainement considérer les figures phonétiques et graphiques, dont les allitérations, les assonances ou les paronomases, comme des figures phares de certains mouvements musicaux actuels, tel le rap. Loin d'appartenir à une esthétique dépassée, ces figures répondent à certaines des exigences rhétoriques que commande ce type de poésie urbaine, poésie de l'oralité qui prend souvent la forme d'un récitatif et d'une prouesse langagière axée sur la rythmique des mots.

Harmonie imitative : forme d'allitération ou d'assonance dans laquelle les **sons imitent la réalité désignée** (les objets décrits, les émotions ou sensations évoquées, etc.).

EFFET : insiste sur la réalité désignée.

> *Et parmi les moutons qui bêlent pêle-mêle /*
> *Faire au frêle agnelet essayer sa voix grêle*
> (XVIIIe siècle ; imitation du bêlement).

Sons et connotations : les stéréotypes culturels.
Il ne faut pas croire que, à l'instar des lettres des alphabets, les sons n'acquièrent une signification qu'à partir du moment où ils sont assemblés pour former un mot. Suivant les codes culturels qui conditionnent notre vision des choses, les sons, selon leur dureté ou leur douceur, renvoient à des concepts affectifs tels que la force, la mélancolie, la nonchalance, l'action, etc. Ces référents inconscients sont à l'œuvre dans les textes, faisant en sorte que les signifiants doivent parfois être mis en parallèle avec les signifiés.

EXTRAIT EXPLIQUÉ EN CONTEXTE

Temps des aurores du temps

Le silex des souvenirs siffle sur ma tête
Temps des tomahawks, des tams-tams et des
                                    [tambours
Assourdissant la source éclatante du silence
Temps d'aiguilles, temps féroces des
                                    [marteaux
Abolis dans les sables de la solitude.

Gilles Hénault

Contextualisation : présence de deux séries d'allitérations, soit le /s/ concentré aux vers 1, 3 et 5, et les /t/, /d/ et /b/ concentrés surtout aux vers 2 et 4. Ces deux allitérations mettent l'accent sur une confrontation entre, d'un côté, le calme des souvenirs, le silence et la solitude, suggérés par le son « s » et, de l'autre, la férocité du temps, des armes, des bruits évoquée par des consonnes beaucoup plus dures. L'extrait se termine par la victoire du calme, qui « abolit » les « temps féroces des marteaux ». Une analyse complète du poème amènerait peut-être le lecteur à établir un parallèle avec le titre du poème, qui annonce le temps des aurores, c'est-à-dire un début, une naissance du jour.

Compte tenu des liens entre les sons choisis et les thèmes évoqués, on peut parler ici d'harmonie imitative.

Paronomase : répétition, dans une ou plusieurs phrases ou vers successifs, de mots **constitués de sons voisins.**

EFFET : conduit à des rapprochements entre les mots qui se ressemblent et concourt à donner du rythme au texte.

> *La perle parle par l'éclat de sa candeur* (Paul Éluard).

> *pointe diamantée des dimanches hantés / dis à m'enchanter et jusqu'à m'en noyer* (Roland Giguère).

EXTRAIT EXPLIQUÉ EN CONTEXTE

*Avenue du **Maine***

*Les **manèges déménag**ent.*
***Manèges**, **ménageries**, où ?... et pour quels*
                                        *[**voyages** ?*
*Moi qui suis en **ménage***
*Depuis... ah ! il y a bel **âge** !*
*De vous goûter, **manèges**,*
*Je **n'ai** plus... que **n'ai-je** ?...*
*L'**âge**.*

Robert Desnos

Contextualisation : cette permutation de lettres met l'accent sur les idées de tournoiement (manège), de déplacement (déménage, ménage, voyage) et d'enfance (manège, âge) thématisées par ce poème.

> Le poème se lit comme un jeu d'écriture, à l'image du jeu d'enfant dont on parle. Il en imite ainsi le fonctionnement : un rapprochement peut donc être établi entre « forme » et « thème ».

Contrepèterie : jeu de mots qui se présente sous forme d'une **énigme que le lecteur doit décoder** en retrouvant lui-même la ou les paronomases qui ont permis de la former.

EFFET : vise l'amusement et permet de dire indirectement les choses, le vrai sens de l'énoncé étant non dit et devant donc être décodé.

Les laborieuses populations du Cap mettaient les échecs en valeur. (Solution : Les laborieuses copulations du pape mettaient les évêques en chaleur.)

Amène le porc ! (Solution : À mort Le Pen !)

La fonction subversive du langage : censure et tabous. Cette figure illustre bien un des pouvoirs du langage, soit de dévoiler par le non-dit d'un discours ce qu'on ne peut pas dire explicitement. Dans la majorité des cas, la contrepèterie se fonde sur les sujets tabous et censurés de la société (sexe, religion, politique, etc.). Ce n'est donc pas sans raison que la contrepèterie a été un jeu populaire à des époques et dans des contextes où la liberté de s'exprimer sur certains sujets était limitée. Par convention ludique et par respect de la censure qu'on s'amusait à défier, on ne devait jamais énoncer à haute voix la solution d'une contrepèterie.

EXEMPLE EXPLIQUÉ EN CONTEXTE

*Je lui ai demandé si elle aimait **Jean-Sol Partre**, elle m'a dit qu'elle faisait collection de ses œuvres... Alors je lui ai dit : « Moi aussi... » […] Alors, à la fin, juste pour faire une expérience existentialiste, je lui ai dit : « Je vous aime beaucoup » et elle a dit : « Oh ! »*

Boris Vian

Contextualisation : contrepèterie qui permet à Vian de créer un personnage de fiction calqué sur la figure existentialiste fétiche qu'était Jean-Paul Sartre. Dans ce cas-ci, la contrepèterie ne s'en prend pas à des tabous sexuels, religieux ou politiques, mais bien à un monstre sacré quasi inattaquable de la vie intellectuelle française des années 1950.

La figure a donc ici une fonction ludique, permettant de rendre hommage à une idéologie tout en s'en moquant en douceur.

Calembour : jeu de mots fondé sur la **présence de deux sens dans des mots similaires** par le son (homophones ou homonymes).

EFFET : vise l'amusement et conduit à des rapprochements sémantiques entre les mots qui se ressemblent phonétiquement ou graphiquement.

le sang charrie des alluvions vers l'amère morte saison (Gilles Hénault).

Le REER avec service RSVP : Aussi taux dit. Aussi taux fait (Montréal Trust).

EXEMPLE EXPLIQUÉ EN CONTEXTE

***Conjuguer avoirs** et **êtres**.*

Slogan des Caisses Desjardins

Contextualisation : basé sur une règle fondamentale connue de tous depuis l'école primaire, soit « conjuguer (les verbes) avoir et être », ce calembour utilise les mots dans leur sens nominal et pluriel : avoirs (biens, argent) et êtres (individus). Cette figure met l'accent sur le fait que, contrairement à la pensée commune qui dit qu'être est plus important qu'avoir, les biens matériels ne sont pas incompatibles avec les valeurs de l'existence. Cette idée est d'ailleurs renforcée par le calembour fait avec « conjuguer », qui ne signifie plus ici « décliner un verbe » mais « marier », « unir ».

Ce slogan en forme de calembour permet donc à Desjardins, institution financière axée sur le profit, de promouvoir des valeurs morales, axées sur la personne. De plus, puisqu'il reprend à sa base une phrase devenue lieu commun, ce slogan risque de rester plus facilement dans la mémoire du public visé.

Antanaclase : figure ressemblant au calembour, où **le mot est repris plus d'une fois dans ses différents sens.**

EFFET : conduit à des rapprochements entre les différents sens d'un mot.

Que de revers à ses uniformes et que de revers à sa politique.

La secrétaire est à son secrétaire.

EXEMPLE EXPLIQUÉ EN CONTEXTE

*Le cœur a ses **raisons** que la **raison** ne connaît point.*

Blaise Pascal

Contextualisation : dans cet aphorisme devenu cliché, l'emploi du mot « raison » dans deux sens différents permet d'opérer un rapprochement entre ce qui est de l'ordre de la raison, de la rationalité, et ce qui vient des justifications du cœur, de l'irrationnel.

Pareil rapprochement s'explique d'autant mieux quand on connaît la pensée du philosophe Pascal, dont l'époque était soucieuse d'allier raison et passions : l'antanaclase lui permet ici d'illustrer cette réunion en une formule concise facile à garder en mémoire.

INVENTION PHONÉTIQUE OU GRAPHIQUE

On trouve ici les cas où soit **des mots existants sont modifiés,** soit **des mots sont inventés** de toutes pièces.

La figure d'invention phonétique ou graphique :
- permet de créer sur mesure, en fonction des besoins du texte, des effets de sens que les mots existants (répertoriés au dictionnaire) ne sont pas aptes à formuler ;
- crée des effets de surprise, de nouveauté ;
- met l'accent sur le pouvoir de création des auteurs.

Principales figures d'invention phonétique ou graphique

Apocope et syncope : suppression de sons **à la fin** (apocope) ou **dans** (syncope) un mot.

EFFET : imite le langage populaire ou parlé et donne par conséquent un effet de réel. Accélère également le rythme du texte.

> *J'parl' pour parler..., j'parl' comm' les gueux, / Dans l'espoir que l'bruit d'mes paroles / Nous engourdisse et nous r'console* (Jean Narrache).

La syntaxe du joual au Québec : les apocopes et les syncopes sont parmi les figures emblématiques des textes dits en joual, car elles permettent de reproduire à l'écrit l'oralité d'origine des discours tenus. L'écriture jouale est en fait un artifice, car cette langue de l'illettrisme ne peut exister qu'à l'oral. Apocopes et syncopes visent à reconstituer cette oralité et cet appauvrissement phonétique.

Néologisme et mot-valise : création d'un nouveau mot forgé de toutes pièces (néologisme) ou par l'union de mots existants (mot-valise).

EFFET : conduit à créer des sens nouveaux.

Je te parole (Daniel Danis).

La politique, on trouvait ça cheap et heavy, grazéviskeux (Réjean Ducharme).

EXTRAIT EXPLIQUÉ EN CONTEXTE

tous les futés renardent dans des taillis et des
                                              [haies
où viennent des filles pleines de fiançailles
                              [que l'on ment
par la taille et que l'on détaille
                    [amoureusementement
Michel Garneau

Contextualisation : mot-valise associant « amour » et « mensonge », idées d'ailleurs présentes dans les vers précédents où il est question de renard futé (animal rusé et trompeur de la fable), de taillis et de haies (cachette), de fiançailles (promesse d'amour), de mensonges. Le mot créé par l'auteur renforce donc l'idée qu'amour et mensonge sont soudés, ne vont pas l'un sans l'autre.

Noter aussi la présence de la paronomase formée par les mots « taillis », « filles », « fiançailles », « taille », « détaille ».

Onomatopée : création d'un mot qui se veut la **transcription d'un son, d'un bruit.** Passés dans l'usage, certains de ces mots sont répertoriés au dictionnaire, d'autres non. Dans un texte, la figure risque d'être plus forte si elle appartient au second des cas.

EFFET : donne un effet de réalisme en reproduisant le son visé.

Cheu cheu pheu pheu cheu cheu pheu pheu / *Le train arrive / Et puis repart* (Guillaume Apollinaire).

FIGURES DE CONSTRUCTION

Dans toutes les langues, la grammaire établit des règles syntaxiques. Toute audace, toute liberté prise avec elles peuvent donner lieu à des effets : effets de surprise, en attirant notre regard sur les écarts inattendus, et effets de sens, permettant de faire des parallèles entre des structures syntaxiques symétriques ou de mettre l'accent sur des mots précis. C'est ce à quoi donnent corps les figures de construction en répétant, en déplaçant ou en occultant certains éléments d'une phrase ou d'un de ses segments (syntagme).

REDONDANCE SYNTAXIQUE

On trouve ici les cas où, dans une phrase (ou dans des phrases voisines), **des éléments de même forme syntaxique sont répétés.**

La figure de redondance syntaxique :

- permet de mettre l'accent sur des éléments spécifiques ;
- allonge le texte, donc intervient sur son rythme.

Principales figures de redondance syntaxique

Répétition (ou redondance) : reprise d'un **même mot** dans une ou plusieurs phrases successives.

EFFET : insistance sur ce qu'on répète.

> *Je marche, je marche, je traverse des rues, d'autres rues, des rues plus étroites et toujours plus étroites, de plus en plus étroites et de plus en plus sombres.*

Anaphore et épiphore : répétition d'un même **début** (anaphore) ou d'une même **finale** (épiphore) de vers, ou de phrase, ou de paragraphe.

EFFET : double insistance sur un élément, parce qu'il est à la fois répété et mis en début ou en fin de phrase.

> *J'ai vu plus d'un adieu se lever au matin / J'ai vu sur mon chemin plus d'une pierre blanche / J'ai vu parmi la ronce et parmi le plantain* (Louise de Vilmorin).

EXEMPLE EXPLIQUÉ EN CONTEXTE

*C'est eux qui **m'ont tué***
***Sont tombés sur** mon dos avec leurs armes,*
> *[**m'ont tué**
***Sont tombés sur** mon cœur avec leur haine,*
> *[**m'ont tué**
***Sont tombés sur** mes nerfs avec leurs cris,*
> *[**m'ont tué**
Saint-Denys Garneau

Contextualisation : l'incessante répétition des débuts et des fins de vers permet d'illustrer l'attaque dont est victime le « je » avec davantage d'acharnement, ajoutant à chaque vers plus de force et de violence à l'agression. Notons que se combine à cette répétition une gradation conduisant du « dos », au « cœur », puis aux « nerfs », faisant en sorte que la douleur ressentie prend, au fil des vers, une forme de plus en plus intériorisée.

Énumération (ou accumulation) : mise en succession de plusieurs éléments syntaxiques de même ordre (adjectifs, verbes, compléments, etc.)

EFFET : crée un effet d'insistance sur ce qu'on énumère.

> *Je marche, je cours, je m'essouffle, je m'arrête, j'entre dans la maison, j'arpente le corridor, le salon, la cuisine, l'escalier, la chambre désertée, sale, lugubre, sans soleil, sans vie.*

EXEMPLE EXPLIQUÉ EN CONTEXTE

*Des deux côtés marchaient en double haie des gardes d'un aspect infâme, **coiffés** de tricornes claques comme les soldats du Directoire, **tachés, troués, sordides, affublés d'uniformes d'invalides et de pantalons de croque-morts, mi-partis gris et bleus, presque en lambeaux, avec des épaulettes rouges, des bandoulières*** *jaunes, des coupe-choux, des fusils et des bâtons* [...]. *Ces sbires semblaient composés de l'abjection du mendiant et de l'autorité du bourreau.*

Victor Hugo

Contextualisation : par cette accumulation de caractéristiques axées notamment sur le délabrement, Hugo rend plus évidentes, voire plus écrasantes et abjectes, les conséquences de l'embrigadement sur les militaires. Ces éléments sont d'ailleurs confirmés par la dernière phrase.

On peut ajouter que cette structure répétitive donne un rythme syncopé à la phrase, amplifiant par le fait même la marche au pas cadencé des gardes.

Gradation (figure d'amplification) : forme d'énumération où les termes sont placés **en ordre progressif** (ou **dégressif**) de qualité, de quantité, d'intensité, etc.

EFFET : crée un effet de progression, d'intensité, de montée ou de descente de tension, ou encore un effet de mouvement, etc.

Je l'aime un peu, beaucoup, passionnément, à la folie...

Mais bientôt ils approchent, ils viennent ; ils sont là maintenant (Guy de Maupassant).

Un enfant est en train de bâtir un village / C'est une ville, un comté / Et qui sait / Tantôt l'univers (Saint-Denys Garneau).

EXEMPLE EXPLIQUÉ EN CONTEXTE

*Il entendit un **reniflement de bête**, **grognement de sanglier**, **rugissement de lion** : et il se tranquillisa, c'était lui qui soufflait. […] Une **joie effrénée**, une **jouissance énorme** le soulevait, dans la **pleine satisfaction de l'éternel désir**. Il en éprouvait une surprise d'orgueil, un grandissement de sa souveraineté de mâle. La femme, il l'avait tuée.*

Émile Zola

Contextualisation : deux séries de gradations permettent d'illustrer la folie meurtrière et le sentiment de pouvoir d'un homme. Dans la première se conjugue une montée graduelle du bruit (depuis le « reniflement » jusqu'au « rugissement ») avec la dangerosité d'un animal (depuis « bête » jusqu'à « lion »). La seconde gradation, quant à elle, vise davantage une description de l'intériorité de l'homme, depuis la « joie » jusqu'au « désir ».

Ce procédé d'amplification est d'autant plus signifiant que ce passage est extrait de *La bête humaine,* roman où Zola illustre la lente progression d'un homme sur la voie de la déshumanisation.

DÉPLACEMENT SYNTAXIQUE

On trouve ici les cas où **l'ordre d'une phrase** (sujet/verbe/complément) **ou d'un syntagme** (substantif/adjectif ; verbe/adverbe, etc.) **est**

modifié en raison du déplacement ou de la permutation d'éléments.

La figure de déplacement syntaxique :

- permet de mettre (ou de ne pas mettre) l'accent sur certains éléments de la phrase ;
- crée des effets de rupture et de surprise.

Principales figures de déplacement syntaxique

Inversion : bouleversement de l'ordre syntaxique normal de la phrase.

EFFET : met très souvent l'accent sur les mots déplacés, notamment s'ils sont en début ou en fin de phrase.

Énormément je t'aime.

Bruns vos yeux (Yolande Villemaire).

Faibles lui parurent ses arguments.

EXEMPLE EXPLIQUÉ EN CONTEXTE

Mon enfance je décrirai pour le plaisir de me la rappeler. […] Je le ferai pour mon orientement, étant donné que je dois vivre, que je suis déjà en dérive et que dans la vie comme dans le monde, on ne dispose que d'une étoile fixe, c'est le point d'origine, seul repère du voyageur.

Jacques Ferron

Contextualisation : cet extrait désigne l'enfance comme le point d'ancrage et d'origine du récit du narrateur. Dans cette

> foulée, l'inversion a ici pour effet non
> seulement de mettre l'accent sur ce mot central,
> mais aussi de le situer d'emblée comme un
> commencement.

Hyperbate : forme d'inversion qui a pour effet **de
déplacer un segment à la fin d'une phrase en
apparence terminée.**

EFFET : met l'accent sur les mots déplacés, mais
crée aussi un effet de surprise en brisant la logique
normale de la phrase.

*Ces cubes de bois sont des maisons qu'il déplace
et des châteaux* (Saint-Denys Garneau).

La nuit m'habitera et ses pièges tragiques
(Alain Grandbois).

Chiasme : forme d'inversion qui repose sur la
reprise, dans un ordre inversé, d'éléments
syntaxiquement similaires, la structure sujet/verbe
devenant verbe/sujet, ou nom/épithète devenant
épithète/nom, etc. Le chiasme est donc à la fois
une figure d'inversion et de répétition.

EFFET : met en parallèle inversé deux segments
de la phrase. Par conséquent, le chiasme met
aussi en évidence certains effets d'antithèse, ou
de cause à effet (d'effet à cause) présents entre
les termes.

Le président parlait et chahutaient les électeurs.

Des rivières scintillantes et de vertes prairies.

Le chiasme peut également reposer sur la **reprise, dans un ordre inversé,** de mots similaires (A-B devenant B-A). Certains donneront le nom d'**antimétabole** à cette figure.

> *Dans l'nord d'la ville / d'une ville du nord / Y'a un ti-cul qui cherche encore / le fil de sa mémoire* (Michel Rivard).

> *Il faut manger pour vivre et non vivre pour manger.*

Dans bien des cas, même s'il y a permutation d'éléments, le sens des mots du départ se trouve modifié dans le segment final (donc présence de l'antanaclase).

> *Certains montrent de l'intérêt pour votre capital. Pour nous, ce qui est capital, c'est votre intérêt* (Caisses Desjardins).

SUPPRESSION SYNTAXIQUE

On trouve ici les cas où **une phrase est amputée d'éléments** qu'on s'attend normalement à rencontrer.

La figure de suppression syntaxique :
- permet l'insistance sur des éléments spécifiques ;
- crée des effets de rupture dans le texte ;
- condense le texte, donc intervient sur son rythme.

Principales figures de suppression syntaxique

Ellipse : suppression d'un élément de la phrase (sujet, verbe, etc.).

EFFET : condense le sens en mettant l'accent sur les mots conservés dans la phrase, conférant à celle-ci un rythme plus rapide pouvant se rapprocher du style télégraphique.

> *Serai à la gare demain dix heures. T'attendrai porte 4.*

EXEMPLE EXPLIQUÉ EN CONTEXTE

Sourire qui semble peint. Bras ballants, le long du corps. Corps gracile. C'est tout ce qu'il a le temps d'enregistrer avant de basculer, tête la première, au fond de ses yeux. *Yeux vert opaque, tels deux fragments de jade. Étangs placides, sans reflets et sans mouvement.*

Nancy Huston

Contextualisation : on se trouve ici devant une description uniquement constituée d'une série de phrases nominales et sans déterminants, qui mettent l'accent sur l'essence du personnage.

Cette démarche elliptique est d'ailleurs expliquée dans la plus longue phrase du milieu, dans laquelle il n'y a pas d'ellipse et où la perception fragmentée et fascinante de la femme est évoquée.

Zeugme : forme d'ellipse qui consiste à **ne pas répéter un mot ou un syntagme que plusieurs éléments de la phrase se partagent.**

EFFET : met l'accent sur les mots conservés dans la phrase. Ceci lui confère parfois un rythme plus rapide.

> *Les enfants marchent à l'avant, les adultes à l'arrière.*

Plus spécifiquement, on utilise souvent le zeugme pour identifier les cas où l'élément occulté devient la cause d'une ambiguïté sémantique dans la phrase. Dans bien des cas, l'explication de l'ambiguïté tient au fait que le mot occulté doit être pris dans un sens différent (par exemple, tantôt abstrait, tantôt concret) selon le mot auquel il est associé dans la phrase.

> *Vêtu de probité candide et de lin blanc* (Victor Hugo).

> *Il aime boire et les femmes.*

FIGURES DE PENSÉE ET DE SENS

Pour certains, les seules vraies figures de rhétorique sont les figures de pensée et de sens. Alors que les figures phonétiques et syntaxiques se centrent respectivement sur la forme des mots et des phrases afin de créer leurs effets, les figures de pensée et de sens se penchent directement sur ce qui est au cœur de chaque mot : la signification qu'on lui donne.

On sait qu'un mot existe parce qu'il est porteur d'une signification qui lui est singulière : aucun mot n'est le synonyme ou le « sosie » parfait d'un autre. Mais on sait aussi que ce sens n'est jamais une donnée immuable, décrétée une fois pour toutes par les dictionnaires. Les mots peuvent bien sûr être utilisés dans leur sens **propre** ou **dénotatif,** mais il arrive que le contexte de leur utilisation fasse naître un sens nouveau, dit **figuré** ou **connotatif.**

Sens dénotatif	Est **dénotatif** un mot pris dans son sens usuel, répertorié au dictionnaire.
Sens connotatif	Est **connotatif** un mot pris dans un sens lié au contexte spécifique de son utilisation. Il sera dit **symbolique** s'il renvoie à un thème, à une dimension de l'histoire, à des caractéristiques des personnages ou du décor, etc.

Plus que les autres figures, les figures de sens et, dans une moindre part, les figures de pensée conduisent à la création de sens inédits, issus du rapprochement de mots sémantiquement distincts.

- **Les figures de pensée :** on appelle ainsi les figures dans lesquelles le rapprochement des mots, donc la création du sens, s'opère *grâce à* la médiation de connecteurs logiques, notamment les conjonctions. D'une certaine manière, c'est une forme d'argumentation qui permet ici de rapprocher le sens des mots, ce qui a pour effet de créer des significations nouvelles.

- **Les figures de sens (ou tropes) :** on appelle ainsi les figures dans lesquelles le rapprochement des mots, donc la création du sens, s'opère *sans* la médiation de connecteurs logiques. Cette association directe des mots entre eux a pour effet de modifier leur sens, ceux-ci se contaminant l'un l'autre. On appelle **trope** cette catégorie de figures impliquant le détournement du sens d'un mot par le biais du sens d'un autre.

  En l'absence de connecteurs logiques rapprochant les termes, on pourrait être tenté de croire à l'absence de toute forme d'argumentation. Un processus argumentatif est néanmoins sous-jacent, et c'est cette présence implicite qui rend d'ailleurs souvent difficile le décodage du sens des tropes : la compréhension de ces figures nécessite que le lecteur puisse lui-même décoder les rapports sémantiques à la base des rapprochements.

S'il convient ici de parler en même temps de ces deux types de figures que la tradition rhétorique a souvent décrites séparément, c'est qu'elles reposent sur les mêmes principes de création de sens inédits, nés de rapprochements par **contiguïté,** par **analogie** ou par **opposition.**

CONTIGUÏTÉ SÉMANTIQUE

On trouve ici les cas où un **mot** (ou une expression) **est remplacé par un autre** qui peut être jugé comme **relevant logiquement,** d'une manière ou d'une autre, **du même univers sémantique.**

La figure de contiguïté sémantique permet de limiter ou d'élargir le sens d'un mot à un aspect de son sens sur lequel on veut insister davantage.

Principales figures de contiguïté sémantique

Métonymie (trope) : remplacement d'un mot par un autre avec lequel il entretient un **rapport logique de contiguïté, de prolongement.**

EFFET : permet le déplacement du sens d'un mot sur un des aspects qui en découlent ou dont il découle. On pourrait dire qu'intrinsèquement, la métonymie s'appuie sur une logique voisine de celle de l'argumentation par causalité (voir p. 33).

127

Type de rapport	Métonymie	Effet de sens
La cause pour l'effet ou l'effet pour la cause	*Chaque arbre d'ombre et de reflets* (Paul Éluard).	L'arbre n'est pas constitué d'ombre et de reflet, mais il en produit.
Le signe distinctif pour la chose (ou la personne) qu'il désigne	*Les casques bleus ont secouru les victimes.*	**L'habit** (le casque) devient la personne distinguée par ce signe vestimentaire (le soldat).
	La jeunesse de la ville est venue au spectacle.	**L'état** (la jeunesse) devient les personnes (les jeunes).
L'outil/ l'instrument pour l'utilisateur/ l'ouvrier	*Le violon est arrivé en retard à la répétition.*	**L'objet** (le violon) devient son utilisateur (le violoniste).
	Le métro est en grève.	**Le lieu de travail** (le métro) devient les employés (les grévistes).
Le contenant pour le contenu	*Il adore boire une bonne bouteille.*	**Le récipient** (la bouteille) devient le liquide bu.

Synecdoque (trope) : figure voisine de la métonymie avec laquelle on la confond parfois, la synecdoque consiste à remplacer un mot par un autre avec lequel il entretient un **rapport d'inclusion entre « parties » et « tout »**.

EFFET : permet le déplacement du sens d'un mot vers un de ses aspects plus généraux ou spécifiques. On pourrait dire qu'intrinsèquement, la synecdoque s'appuie sur une logique voisine de celle de l'argumentation par déduction ou par induction (voir p. 34).

Type de rapport	Synecdoque	Effet de sens
La partie pour le tout (le particulier pour le général)	*Une bouche au large sourire avança vers lui et lui adressa la parole.*	Partie du corps (la bouche) mise pour parler de la personne elle-même.
Le tout pour la partie (le général pour le particulier)	*Une foule au large sourire avança vers lui et lui adressa la parole.*	La somme des individus (la foule) mise pour parler des personnes elles-mêmes.

EXEMPLE EXPLIQUÉ EN CONTEXTE

Le miroir de la salle de bains a fini par me convaincre *que mon corps ne portait pas de trace de griffes ni de dents, même si mes muscles endoloris suggéraient que je m'étais battu longtemps contre quelque chose. La porte de l'entrée était fermée à clé, et rien dans l'appartement ne paraissait menaçant.*

Sergio Kokis

Contextualisation : ce n'est pas le miroir qui convainc, mais bien l'image qu'il projette ou, plus précisément, l'interprétation qu'on peut donner à cette vision. Cette métonymie concourt donc à référer à la cause (miroir) plutôt qu'à son effet (la vision d'un corps sans blessures).

Même si la figure est une métonymie, elle concourt à donner un pouvoir de conviction au miroir lui-même : il y a donc aussi un effet de personnification (p. 138) dans cette figure, effet justifié puisque le reste de l'extrait, avec « battu contre quelque chose » ou « rien dans l'appartement ne paraissait menaçant », évoque un possible danger émanant des objets.

Hyperbole (figure d'amplification) : remplacement d'un mot par un autre qui en donne un **sens amplifié,** voire exagéré ou, plus rarement, **atténué** (voir « Litote »). La contiguïté se mesure ici sur une échelle de valeur, le mot étant remplacé par un autre relevant d'un ordre de grandeur (de qualité, de quantité, d'intensité) supérieur ou inférieur.

EFFET : permet le déplacement du sens d'un mot sur un de ses aspects amplifié ou atténué.

Le ciel s'emplit alors de millions d'hirondelles (Guillaume Apollinaire).

La nuit ne va pas finir. Le jour ne se lèvera plus sur personne (Marguerite Duras).

Litote (figure d'amplification) : remplacement d'un mot par un autre qui en donne un **sens**

atténué, mais tout en maintenant l'intention que le lecteur décode le sens resté implicite.

EFFET : permet de dire indirectement les choses, le vrai sens de l'énoncé étant non dit, donc devant être décodé.

> *Va, je ne te hais point* (Pierre Corneille).
> *Le film n'était franchement pas mauvais.*

Dans la litote, on remarquera souvent la présence de négations permettant de comprendre l'énoncé dans son sens contraire.

Figure et compétence de lecture : à l'instar de figures telle l'ironie, la litote est parfois jugée comme difficile à décoder. La réussite de ce type de procédé n'est possible que si celui à qui on s'adresse se montre en mesure de le comprendre. L'usage de la litote implique donc qu'on ait bien ciblé l'interlocuteur.

Euphémisme : comme la litote, remplacement d'un mot par un autre qui en donne **un sens atténué,** mais plus spécifiquement dans le but **d'atténuer tout l'aspect négatif** associé au terme de départ resté implicite.

EFFET : permet de dire indirectement les choses, le vrai sens de l'énoncé étant non dit, donc devant être décodé.

> *Grand-papa nous a quittés* (au lieu de « grand-papa est mort »).
> *Le ministère de la Défense* (au lieu de « ministère de la Guerre »).

Tabous et rectitude politique : avec l'euphémisme, une part importante du sens est laissée aux non-dits. Le lecteur doit donc décoder lui-même la signification finale des énoncés. L'usage de cette figure est souvent un mécanisme dont se dote la morale, la culture, la société pour ne pas exprimer directement ce qui leur est tabou.

ANALOGIE SÉMANTIQUE

On trouve ici les cas où un **mot** (ou une expression) **est associé à un autre relevant d'un autre univers sémantique plus ou moins éloigné,** leur combinaison nouvelle donnant naissance à des sens inédits. Ces figures d'analogie concourent à ce que chacun des mots ainsi associés soit « contaminé » par l'univers sémantique de l'autre dont il emprunte des éléments de signification.

La figure d'analogie sémantique permet :
- de rapprocher des univers sémantiques ;
- de créer des effets de sens inédits, voire des effets de surprise, surtout si on associe des mots appartenant à des univers sémantiques éloignés.

Principales figures d'analogie sémantique

Comparaison : rapprochement entre deux termes réunis par une ou des conjonctions (comme, tel que, ainsi que, semblable à…).

EFFET : assigne à un mot des traits sémantiques de l'autre, et vice versa. Par ricochet, la comparaison crée des rapprochements entre deux thèmes, deux idées, deux champs lexicaux, etc., permettant ainsi des associations de sens inédites. On pourrait dire qu'intrinsèquement, la comparaison s'appuie sur une logique voisine de celle de l'argumentation par analogie (voir p. 33).

Comparaison	Rapprochements sémantiques
Il gardait [sa mappemonde] *au-dessus de son lit* **comme** *d'autres gardent une icône* (Pan Bouyoucas).	Transfère à « mappemonde » toute la notion de d'admiration et de dévotion présente dans « icône » : en forme d'image comme l'icône, la mappemonde devient un objet de vénération quasi religieux.
Un front **qui semblait fait de** *marbre, des joues* **qui semblaient faites** *d'une feuille de rose* (Victor Hugo).	Transfère à « front » les idées de dureté, de froideur, de blancheur et de richesse, etc., présentes dans « marbre », de même qu'à « joues », les idées de finesse et de douceur présentes dans « feuille de rose ».

EXEMPLE EXPLIQUÉ EN CONTEXTE

J'éteins ce texte
comme *une lampe*
qui a trop brûlé les yeux

Pierre Nepveu

Contextualisation : cette comparaison entre « texte » et « lampe » – deux mots associables à la vue – concourt à conférer à « texte » des références à la clarté, à l'éblouissement, à la lumière, caractéristiques qu'on évoque parfois pour parler de la clarté (ou de l'obscurité) d'un écrit. Ce rapprochement des termes permet aussi l'emprunt des caractéristiques plus néfastes de la lumière, susceptible de brûler, d'aveugler celui qui s'en approche de trop près.

Un texte est ici ce qui fait voir et ce qui éclaire, mais dont les excès peuvent être dangereux.

Métaphore (trope) : rapprochement entre deux termes, sans la médiation de conjonctions. Les termes sont alors généralement associés par le biais d'éléments sémantiques qu'ils partagent.

EFFET : assigne à un mot des traits sémantiques de l'autre, et vice versa. Par ricochet, la métaphore crée des rapprochements entre deux thèmes, deux idées, deux champs lexicaux, etc., permettant ainsi des associations de sens inédites. On parlera de **métaphore filée** dans les cas où il y a présence, dans un texte, d'une série de métaphores convergeant vers le développement d'un même réseau sémantique et thématique. À l'instar de la comparaison, on pourrait dire qu'intrinsèquement, la métaphore s'appuie sur une logique voisine de celle de l'argumentation par analogie (voir p. 33).

Métaphore	Rapprochements sémantiques
Ta lettre de pain tendre (Léopold Senghor).	Transfère à « lettre » l'idée de tendresse et le caractère nourricier vital présents dans « pain » : ici, la lettre nourrit tendrement celui qui la reçoit.
Les escaliers en spirale d'une vie (J.-A. Barbey d'Aurevilly).	Transfère à « vie » les notions de montée et de descente, de tourbillon, de vertige, de mouvement présents dans « escalier en spirale » : ici, la vie est en mouvement.
Le calendrier dehors, le livre ouvert des arbres (Pierre Reverdy).	Établit des liens entre « calendrier » et « arbre », tous deux indicateurs du temps par le biais de leurs feuilles : la référence à « livre » (feuilles, papier) ne fait que le confirmer.
Ainsi la rosée à tête de chatte se berçait (André Breton).	Établit des liens entre « rosée » et « tête de chatte » en fonction d'un point commun, ici difficile à trouver. Devant ce rapprochement à première vue impossible de deux réalités sémantiquement trop éloignées, on parlera de **métaphore de type surréaliste.**

La force des métaphores. De l'image au cliché : la métaphore a souvent été considérée comme la figure par excellence en raison de la concentration de significations qu'elle permet. On lui donnera aussi le nom d'**image,** ou de **métaphore vive,** en

raison de son pouvoir de créer des sens inédits.
Comme le disait Pierre Reverdy, cité par André
Breton dans le *Manifeste du surréalisme* :

> *L'image est une création pure de l'esprit.*
> *Elle ne peut naître d'une comparaison,*
> *mais du rapprochement de deux réalités*
> *éloignées.*
> *Plus les rapports des deux réalités rappro-*
> *chées seront lointains et justes, plus l'image*
> *sera forte – plus elle aura de puissance émotive*
> *et de réalité poétique.*

La **métaphore surréaliste** apparaît ainsi comme
la forme exacerbée de cette nécessité de distance.
Cette quête de sens a notamment été poussée à
son paroxysme dans les **cadavres exquis,** jeu
littéraire qui consiste à associer des mots pigés
au hasard du dictionnaire.

Les métaphores trop simples, connues de
tous, utilisées dans la vie de tous les jours, sans
originalité, appartiennent à ce qu'on appelle des
clichés et ne créent rien de neuf : parler d'un
étudiant « brillant », d'une pensée « lumineuse »,
d'une fille « à la taille de guêpe », etc. Mais
attention : le cliché d'aujourd'hui n'est pas
nécessairement le cliché d'hier. En fait, chaque
fois qu'on ouvre un dictionnaire et qu'on trouve
sous une définition la mention « sens figuré »,
on peut se douter que ce sens est né initialement
d'une métaphore, peut-être osée à l'époque de sa
création, mais par la suite entrée dans les usages,
puis officialisée par le dictionnaire.

EXEMPLE EXPLIQUÉ EN CONTEXTE

*Ces ruines semblaient les restes de quelque usine du milieu du siècle […]. Un tas de briques, çà et là, nous rappelaient que l'homme savait depuis peu construire des **déserts debout** : des **grands champs verticaux de sécheresse** qui prennent d'assaut le ciel, et qui s'effondrent, parfois […]. Les longues banlieues industrielles des villes, que d'imposantes cheminées surveillent jour et nuit, il les appelait : les **camps de concentration** de l'Absence. Il y voyait **un monument funéraire** élevé non pas à quelque mort particulier, mais à la mort générale.*

Pierre Ouellet

Contextualisation : dans cet extrait, quatre métaphores se conjuguent afin de décrire un lieu en ruine. On emprunte d'abord au « désert debout » ou aux « champs verticaux de sécheresse » des notions de vide, d'absence de vie, mais aussi de verticalité, qu'on accole ici aux édifices détruits. Des lieux industrialisés, donc construits par l'homme, sont ainsi comparés à des lieux construits par la nature. Cette idée de monde inanimé, de mort et de destruction amenée par l'homme se renforce avec les références aux « camps de concentration » et au « monument funéraire » présentes dans la suite du texte. Devant cette série de figures appartenant à un même réseau sémantique, on est en droit de parler de métaphore filée.

La thématique de ces figures s'éclaire lorsqu'on tient compte du sens global de la nouvelle : il s'agit des premières lignes d'un texte, intitulé *L'avent,* dans lequel ce lieu de ruines devient le point d'origine de la quête du narrateur, qui cherche un personnage disparu et présumé décédé. Le parallèle entre la disparition d'un lieu et d'un homme prendra tout son sens à la fin de la nouvelle.

Personnification : forme de métaphore (ou de comparaison) spécifiquement axée sur l'**octroi de caractéristiques humaines à des instances non humaines,** soit des animaux, des objets, des abstractions (l'amour, la beauté, etc.).

EFFET : accentue l'importance de ces réalités non humaines et met le doigt sur leurs liens avec les personnages humains. Souvent, la personnification ouvre la porte à l'**allégorie,** soit la mise en place, au fil d'un texte, d'un discours symbolique visant à illustrer des abstractions (idées, valeurs, sentiments, etc.) par le biais de figures concrètes (personnages, objets, etc.).

L'amour a épousé l'absence, un soir d'été (Guillaume Apollinaire).

Rendre le ciel jaloux de sa vive couleur / Quand l'Aube de ses pleurs au point du jour l'arrose (Pierre de Ronsard).

Parfois, l'attribution d'une **lettre majuscule** à un nom commun est l'indice qu'il est l'objet d'une personnification.

EXEMPLE EXPLIQUÉ EN CONTEXTE

Il n'y avait personne sur la colline. C'était sans doute à cause de la fin de l'après-midi, et aussi parce que ce quartier-là était un peu abandonné. **Les villas** *étaient enfouies dans les arbres, elles* **n'étaient pas tristes**, *mais* **elles avaient l'air de somnoler**, *avec leurs grilles rouillées et leurs volets qui fermaient mal.*

J. M. G. Le Clézio

Contextualisation : la figure permet ici de considérer les villas comme des êtres dotés de sentiments et enclins au sommeil. À l'opposé, le début de l'extrait met l'accent sur l'aspect inhabité et abandonné du décor.

La personnification des villas apparaît donc en contrepoint : ici, ce qui est vivant n'est pas ce qui devrait l'être, rendant ainsi plus patent l'aspect inanimé du reste du décor.

Synesthésie : forme de métaphore (ou de comparaison) spécifiquement axée sur le **rapprochement de termes qui relèvent de modes de perception différents** (toucher, goût, vue...).

EFFET : insistance sur le fait que la perception est multiple, totale, etc.

> *Ses baisers sont des yeux, sa bouche est leur Voyant* (Xavier Forneret).
>
> *Panorama de klaxons* (Fernand Ouellette).
>
> *Des couleurs étourdissantes comme des gongs* (Blaise Cendrars).

> **Synesthésie et correspondances :** en fait, la synesthésie est moins une figure que le fondement d'une esthétique symbolique. Historiquement, c'est à Baudelaire qu'on attribue ce type d'écriture axée sur la mise en parallèle des différents niveaux de perception des mondes abstraits et concrets : perceptions liées aux sens, aux émotions, à la raison, etc. Il reprenait alors à ses fins un élément de la mystique élaborée par Swedenborg et dont on retrouve l'écho chez Hoffmann.

OPPOSITION SÉMANTIQUE

> On trouve ici les cas où un **mot** (ou une expression) **est associé à un autre relevant d'un univers sémantique qui lui est opposé,** leur combinaison donnant naissance à des sens inédits.
>
> La figure d'opposition sémantique permet de mettre l'accent sur les réseaux d'oppositions présents dans une idée ou dans plusieurs idées confrontées. Dans bien des cas, elle concourt à mettre en lumière la complexité, l'ambiguïté ou encore la complémentarité de certains de leurs aspects.

Principales figures d'opposition sémantique

Antithèse : rapprochement de deux termes opposés, réunis par une ou des conjonctions.

EFFET : permet d'illustrer une opposition présente dans un thème, dans un champ lexical, montrant toute l'ambiguïté qu'une idée ou que plusieurs idées confrontées peuvent générer. On pourrait dire qu'intrinsèquement, l'antithèse s'appuie sur une logique voisine de celle de l'argumentation par analogie (structure par opposition) (voir p. 33).

> *D'être le nouveau-né et le vieil infidèle* (Olivier Marchand).

> *La vie si courte, si longue, devient parfois insupportable* (Guy de Maupassant).

> *Aujourd'hui debout droit / demain couché brisé* (Gaston Miron).

EXEMPLE EXPLIQUÉ EN CONTEXTE

*Je **vis**, je me **meurs** : je me **brûle** et me **noie***
*J'ai **chaud** extrême en endurant **froidure***
*La vie m'est trop **molle** et trop **dure***
*J'ai grands **ennuis** entremêlés de **joie** [...]*
Ainsi Amour inconstamment me mène.
Louise Labbé

Contextualisation : on se trouve ici devant un passage reposant sur plusieurs antithèses : « vis/meurs », « brûle/noie », « chaud/froidure », « molle/dure », « ennuis/joie ». En reprenant cette figure dans chacun des quatre premiers vers du poème, l'auteure crée une insistance sur des sentiments, des sensations physiques ou des états contradictoires vécus par le « je ».

On découvre la justification de ces oppositions dans le dernier vers du poème alors que l'Amour personnifié (voir l'usage de la majuscule, p. 138) devient la raison de

---

l'inconstance, donc du bouleversement, des hauts et des bas vécus par le « je ». (Noter aussi l'allitération en « m » du dernier vers.)

Oxymore : rapprochement de deux termes opposés, **sans mode de conjonction** unissant les contraires. On les trouvera plutôt regroupés dans une même unité syntaxique (nom/adjectif, verbe/adverbe).

EFFET : permet d'illustrer une opposition présente dans un thème, dans un champ lexical, montrant toute l'ambiguïté qu'une idée peut générer. À l'instar de l'antithèse, on pourrait dire qu'intrinsèquement, l'oxymore s'appuie sur une logique voisine de celle de l'argumentation par analogie (structure par opposition) (voir p. 33).

> *Les déracinés d'aucune terre / les clochards nantis / les demi-révoltés confortables / les sauvages cravatés* (Jacques Brault).

> *D'incolores idées vertes dorment furieusement* (Noam Chomsky).

Ironie (ou antiphrase) : forme d'**antithèse implicite,** présente lorsqu'un énoncé est prononcé avec l'intention que soit compris le contraire de ce qui est dit. Ici, l'antithèse n'est donc pas dans l'énoncé, mais doit être déchiffrée.

EFFET : permet de dire indirectement les choses, le vrai sens de l'énoncé étant non dit, donc devant être décodé. L'ironie peut être utilisée à des fins humoristiques, en vue de se moquer de l'interlocuteur ou, au contraire, en vue d'entretenir avec lui une connivence.

Encore 0 % à ton examen : bravo, tu as droit à toute mon admiration...

Chers électeurs, je suis béat d'admiration devant la capacité du gouvernement à faire marche arrière.

Figure et compétence de lecture : la réussite de ce type de procédé n'est possible que si celui à qui on s'adresse se montre en mesure de comprendre le second degré présent dans l'énoncé. L'usage de l'ironie implique donc qu'on ait bien ciblé l'interlocuteur.

LA RHÉTORIQUE
VIVE

En guise de conclusion, partons d'une courte phrase de Guillaume Apollinaire et voyons où elle nous mène : « La porte de l'hôtel sourit furieusement ».

Doit-on voir, dans ce passage apparemment poétique, la présence d'une personnification, par laquelle on prête à « porte » le pouvoir de sourire ? Doit-on plutôt penser à une métonymie, « porte » étant utilisée en lieu et place du portier ? Faut-il avant tout s'attarder à l'oxymore que l'association des mots « sourit » et « furieusement » entraîne ? Faut-il simplement prendre « sourit » au sens métaphorique et envisager qu'il puisse remplacer « grince », en vertu d'un rapprochement possible entre un sourire (ou un rire) grinçant et le bruit d'une porte mal huilée ? Quelle est, ultimement, *la* figure de ce texte ? Faut-il vraiment trancher et décider qu'une seule est ici plus pertinente que les autres ?

Devant une phrase de sept mots dans laquelle se déploient autant de figures, on serait tenté de se demander où sont les « limites de l'interprétation » ou si, au contraire, un texte doit être une « œuvre ouverte[2] » à toutes les significations.

En fait, il faut retenir qu'une interprétation sera toujours juste s'il est possible de repérer, dans l'énoncé même, des indices qui permettent de la juger pertinente. Les limites de l'interprétation d'un texte sont liées aux limites que pose le texte en soi par ses choix formels et thématiques.

Il sera bon de se rappeler que l'ensemble des conventions de la rhétorique, que le présent ouvrage a survolées, ne servent pas à donner des réponses figées sur la signification ultime d'un énoncé ; elles servent plus fondamentalement à désigner les lieux où, dans un texte, ce sens semble se construire.

Ce sera toujours la force d'un énoncé de rester ouvert à une pluralité de significations ; ce sera toujours la force de la rhétorique d'être un instrument *ouvert* sur sa compréhension.

---

2. Les expressions « œuvre ouverte » et « limites de l'interprétation » sont les titres de deux œuvres du sémioticien italien Umberto Eco, à qui on doit une réflexion sur la signification des textes.

BIBLIOGRAPHIE

AMOSSY, Ruth, *L'argumentation dans le discours. Discours politique, littérature d'idées, fiction,* Paris, Nathan, coll. « Fac linguistique », 2000.

BARTHES, Roland, *L'aventure sémiologique,* Paris, Seuil, coll. « Points Essais », 1985.

BRETON, Philippe, *L'argumentation dans la communication* (3e édition), Paris, Éditions La Découverte, coll. « Repères », 2003.

DUPRIEZ, Bernard, *Gradus. Les procédés littéraires (Dictionnaire),* Paris, Union générale d'Éditions, coll. « 10/18 », 1984.

GARDES-TAMINE, Joëlle, *La rhétorique,* Paris, Armand Colin, coll. « Cursus », 2002.

MEYER, Michel, *Histoire de la rhétorique des Grecs à nos jours,* Paris, Livre de poche, coll. « Biblio essais », 1999.

PEYROUTET, Claude, *Style et Rhétorique,* Paris, Nathan, coll. « Repères pratiques », 2002.

TABLE DES MATIÈRES

DEUXIÈME PARTIE
LES FIGURES DE RHÉTORIQUE
OU FIGURES DE STYLE

La collection « Connaître » s'adresse aux professeurs et aux étudiants du cégep et de l'université. Elle dégage des pistes essentielles dans l'étude de la littérature et des phénomènes du langage :

1. *Les classiques québécois* de Georges Desmeules et Christiane Lahaie

2. *Littérature et peinture* de Roland Bourneuf

3. *Les personnages du théâtre québécois* de Georges Desmeules et Christiane Lahaie

4. *La littérature québécoise 1960-2000* de Hans-Jürgen Greif et François Ouellet

5. *La rhétorique mode d'emploi. Procédés et effets de sens* de Nicole Fortin

Essais publiés par le même éditeur :

Le genre de la nouvelle dans le monde francophone au tournant du XXIe siècle, sous la direction de Vincent Engel (en coédition avec Phi et Canevas)

Québec. Des écrivains dans la ville, collectif, narration générale de Gilles Pellerin (en coédition avec le Musée du Québec)

Robert Lepage : quelques zones de liberté de Rémy Charest (en coédition avec Ex Machina)

La sirène et le pendule : attirance et esthétique en traduction littéraire de Louis Jolicœur

Nous aurions un petit genre : publier des nouvelles de Gilles Pellerin

Venir en ce lieu de Roland Bourneuf

La littérature fantastique et le spectre de l'humour de Georges Desmeules

Récits d'une passion : florilège du français au Québec de Gilles Pellerin

Le refus de l'oubli : femmes-sculptures du Nunavik de Céline Saucier

Guardians of Memory : Sculpture-Women of Nunavik by Céline Saucier

Les Riopelle de Riopelle, catalogue

La recherche de l'histoire de Pierre Yergeau

On en apprend tous les jours de Jean-Noël Blanc (en coédition avec HB éditions)

Poétique d'Anne Hébert : jeunesse et genèse, suivi de *Lecture du Tombeau des rois* de Robert Harvey

De la monstruosité, expression des passions, sous la direction de Christine Palmiéri (en coédition avec Jaune-Fusain)

La recherche en civilisations anciennes. Actes du colloque « La recherche en civilisations anciennes présentée aux élèves du collégial » tenu les 5 et 6 octobre 2001 au collège François-Xavier-Garneau, sous la direction de François Lafrenière et Denis Leclerc

La mèche courte. Le français, la culture et la littérature de Gilles Pellerin

Manuscrits pour une seule personne de Marc Chabot et Sylvie Chaput

Dictionnaire des personnages du roman québécois : 200 personnages, des origines à l'an 2000 de Georges Desmeules et Christiane Lahaie

Robert Lepage, l'horizon en image de Ludovic Fouquet (collection « L'instant scène »)

Le cinéma, âme sœur de la psychanalyse, collectif sous la direction de Marcel Gaumond (collection « L'instant ciné »)

Le mal d'origine. Temps et identité dans l'œuvre romanesque d'Anne Hébert de Daniel Marcheix

Regard, peinture et fantastique au Québec de Simone Grossman

À tout propos de Claire Martin

Titres en poche :

1. *Dix ans de nouvelles : une anthologie québécoise*, présenté par Gilles Pellerin
2. *Parallèles : anthologie de la nouvelle féminine de langue française*, présenté par Madeleine Cottenet-Hage et Jean-Philippe Imbert
3. *Nouvelles d'Irlande*, présenté par Michael Cronin et Louis Jolicœur, et traduit de l'anglais par Julie Adam et Louis Jolicœur
4. *Le fantastique même : une anthologie québécoise*, présenté par Claude Grégoire
5. *Feux sur la ligne : vingt nouvelles portoricaines (1970-1990)*, rassemblé par Robert Villanua, et traduit de l'espagnol par Corinne Étienne et Robert Villanua (en coédition avec Alfil et l'Unesco)
6. *La mort exquise* de Claude Mathieu
7. *Post-scriptum* de Vassili Choukchine (en coédition avec Alfil)
8. *Ce que disait Alice* de Normand de Bellefeuille
9. *La machine à broyer les petites filles* de Tonino Benacquista
10. *Espaces à occuper* de Jean Pierre Girard
11. *L'écrivain public* de Pierre Yergeau
12. *Nouvelles du Canada anglais,* présenté et traduit par Nicole Côté
13. *Nouvelles françaises du XVIIᵉ siècle,* présenté par Frédéric Charbonneau et Réal Ouellet
14. *L'œil de verre* de Sylvie Massicotte
15. *Le ravissement* de Andrée A. Michaud
16. *Autour des gares* de Hugues Corriveau
17. *La chambre à mourir* de Maurice Henrie
18. *Cavoure tapi* de Alain Cavenne
19. *Anthologie de la nouvelle québécoise actuelle,* présenté par Gilles Pellerin

ACHEVÉ D'IMPRIMER
EN JANVIER 2010
SUR LES PRESSES DE MARQUIS IMPRIMEUR INC.
MONTMAGNY, CANADA